Quand papa était
femme de ménage

Anne Fine

Quand papa était femme de ménage

Traduit de l'anglais par Florence Seyvos

Neuf

l'école des loisirs
11, rue de Sèvres, Paris 6ᵉ

© l'école des loisirs, Paris, pour l'édition en langue française
© 1987, Anne Fine
Titre original : « madame Doubtfire » (Hamish Hamilton, Londres)
Loi n° 49956 du 16 juillet 1945 sur les publications destinées à la jeunesse : octobre 1989
Dépôt légal : octobre 1989
Imprimé en France par l'imprimerie Hérissey
Évreux (Eure) — N° 48998

I

UN GOÛTER PAISIBLE
AVEC PAPA

Les enfants se battirent dans l'escalier pour ne pas porter l'enveloppe. Vers les dernières marches Lydia, avantagée par sa taille, la glissa de force dans le pull de Christopher. Christopher l'en sortit, et tenta de la mettre dans la main de Natalie.

– Tiens, Natty, dit-il, donne ça à papa.

Natalie secoua si violemment la tête que ses cheveux fouettèrent ses joues jusqu'à les rendre rouges, et elle joignit les mains derrière son dos. Christopher coinça alors l'enveloppe en haut de sa robe à bretelles, derrière les petits canards en feutre jaune. Les yeux de Natalie s'emplirent de larmes, et lorsque Daniel Hilliard ouvrit la porte pour faire entrer ses enfants, elle sanglotait doucement.

Il se baissa pour la prendre dans ses bras.

– Pourquoi faut-il toujours que vous la fassiez pleurer ? demanda-t-il aux deux autres.

Lydia regarda ailleurs. Christopher rougit.

— Désolés, dirent-ils.

Daniel porta Natalie dans le couloir jusqu'à la cuisine, et l'assit sur le bord de la table. Il entendit un léger bruit de papier froissé à l'intérieur de sa robe. Passant la main derrière les petits canards de feutre jaune, il en extirpa la lettre.

— Ah ah ! s'écria-t-il. Une nouvelle missive du Stylo Empoisonné ! A propos... COMMENT va votre mère ?

— Très bien, merci, l'informa Lydia avec une politesse légèrement glacée.

— Je suis très heureux de l'entendre, dit Daniel. Je n'aimerais pas la savoir rongée par la dysenterie amibienne, la salmonellose, ou le zona... (Ses yeux se mirent à briller. Un rictus déformait sa bouche)... Ou la fièvre de Lassa, ou la rage...

— Elle a eu un petit début de rhume la semaine dernière, interrompit Lydia, mais ce n'est pas allé plus loin.

— Dommage, dit Daniel. Je veux dire, quel dommage.

Personne ne répondit. Christopher s'était accroupi devant la cage de la caille, et lui parlait par sifflements. La petite boule de plumes gris argenté sautillait avec des pépiements d'excitation. Lydia feuilletait avec curiosité les piles de paperasse qui encombraient la table.

Natalie dit :

— Papa, maman te dit bonjour.

— Vraiment ? Daniel était abasourdi. Elle a vraiment dit ça ?

— Non, dit Christopher, passant sa main à travers les barreaux pour caresser l'oiseau.

— Bien sûr que non, dit Lydia, Natalie l'a inventé. Ou elle a entendu ça à la télé, ou ailleurs.

Daniel souleva sa petite fille et la serra dans ses bras.

— Ah, Natty… dit-il. C'est dur pour toi quelquefois, hein ?

Natalie enfouit son visage au creux de l'épaule de son père.

— Ça pourrait être plus facile pour elle, remarqua Lydia, si toi, tu faisais un minimum d'effort.

Daniel lança un regard sombre à sa fille aînée par-dessus les cheveux de Natalie.

— Qu'est-ce que tu entends par là ?

— Je veux dire, répondit Lydia, que nous sommes là seulement le mardi pour le goûter, et un week-end sur deux. Ce n'est pas beaucoup. Alors ça serait bien si Natty n'avait pas à

entendre tout le temps des remarques désagréables.

— Des remarques désagréables ? Embarrassé,
Daniel feignit de ne pas comprendre.

— Tu sais bien, dit Lydia. Le Stylo Empoisonné, et toutes ces maladies…

— Tu as raison, dit Daniel. Tu as tout à fait raison. Je vais faire plus d'efforts. Et commencer
dès maintenant. (Il prit une inspiration.) Je suis
content que votre mère aille bien. Je suis heureux
de l'entendre. (Il fit une pause.) Je ne vais pas lire
cette lettre tout de suite, car ça pourrait me
gâcher ma joie. Je vais la poser là-haut sur l'étagère, et je la lirai plus tard.

Il glissa la lettre entre le chocolat en poudre et
un grand sac de nourriture pour oiseau, puis
resta à la regarder d'un air mauvais, pendant
quelques instants. Puis il se tourna vers ses
enfants.

— J'imagine que c'est pour me rappeler de ne
pas vous faire partir sans vos manteaux, ou quelque chose de ce genre.

Lydia et Christopher se regardèrent. Ils
savaient mieux que Daniel. Ils avaient lu la lettre.
En fait, ils lisaient systématiquement les lettres
que leur mère écrivait à leur père. Cela entrait
dans leur politique générale « d'autodéfense ». Ils

avaient même un rituel : Lydia décachetait l'enveloppe et en sortait la feuille. Ils la lisaient tous deux en silence. Puis Christopher la repliait dans ses plis, et la glissait dans une enveloppe neuve, qu'il avait prise dans le paquet sur le bureau. Il la portait alors à Natalie qui généralement, tirait docilement la langue, sans réfléchir, pour lécher la colle. De cette manière, la responsabilité était partagée entre eux trois et avec un peu de chance, la réprimande aussi, si jamais ils étaient pris.

— Ce sera pour les manteaux, c'est sûr, répéta Daniel, absolument pas convaincu. L'œil menaçant, il fixa de nouveau l'enveloppe.

— Possible, dit Lydia. Elle a fait remarquer plusieurs fois cette semaine combien c'était gênant, vraiment, de ne pas avoir nos manteaux.

Daniel s'irrita.

— Vous avez d'autres manteaux. Vous avez les manteaux que je vous ai achetés l'hiver dernier.

Les enfants restaient silencieux, et Daniel le remarqua.

— Elle ne les aime pas, c'est ça ? dit-il.

Lydia tenta une diversion :

— Est-ce que nous pouvons goûter, maintenant ? Nous avons vraiment très faim.

— Les manteaux, insista Daniel. Les manteaux. Les manteaux que je vous ai achetés l'hiver dernier, un prix effarant. Vous ne les mettez jamais pour venir. En fait, je ne vous ai jamais vus avec.

Ses yeux devinrent foncés, et prirent un aspect vitreux. Les enfants détournèrent le regard. Ils connaissaient ces signes.

— Vous ne les portez pas, hein ? Non, vous ne les portez pas. Elle ne les aime pas, donc vous n'êtes pas autorisés à les porter.

— Moi je mets le mien, dit Natalie. C'est vrai, je l'ai mis la nuit de Bonfire*, ET quand on a fait de la luge, ET quand le square était tout inondé et plein de boue, ET quand on a descendu la colline dans des boîtes en carton, et que maman pensait qu'il pouvait y avoir de la crotte de chien.

— Vous voyez ! claironna Daniel, triomphant. Vous voyez ? Elle vous laisse mettre mes manteaux uniquement si elle a peur que les manteaux qu'ELLE a achetés soient roussis, ou déchirés, ou tachés de boue, ou — ajouta-t-il, pensant à la crotte de chien — pire.

Son regard se durcit encore, prenant un éclat acier et, apparemment sans réaliser ce qu'il faisait, Daniel décrocha un fusil imaginaire d'un

* Bonfire Night. Le 5 novembre. Nuit au cours de laquelle on allume des feux de joie.

râtelier imaginaire. Puis inclinant légèrement la tête sur le côté, il visa une cible imaginaire.

— Qu'est-ce que tu fais ? Lui demanda Lydia. tu as un torticolis ?

Embarrassé, Daniel fit mine de reposer le fusil sur son râtelier. Son embarras augmentait, au fur et à mesure qu'il reprenait ses esprits. Pour se remettre, il se redressa et prit une profonde inspiration. L'arôme chaud et réconfortant des herbes et de l'ail emplirent ses narines.

— Mon pain aux herbes ! se souvint-il. Vous êtes prêts à attaquer ?

— Tu parles !

— Oui !

— Chouette !

En un éclair, ils revinrent à la vie. D'un revers de bras Lydia déblaya sans ménagement le fatras des dernières demandes d'emploi de son père vers une extrémité de la table, faisant place nette. Christopher s'empressa d'aller pêcher, dans l'égouttoir surchargé, suffisamment d'assiettes et de couverts pour un goûter de quatre personnes. Natalie apporta avec précautions des verres et un carton de lait.

Maudissant la vapeur qui lui brûlait les yeux et les doigts, Daniel fit basculer le pain chaud du plat à gratin sur une grande assiette, où il resta quelques secondes, majestueux et fumant, avant de s'effondrer.

— Ooh !

— Presque parfait !

— Maman dit que ça arrive souvent quand on l'a laissé cuire trop longtemps.

Daniel n'avait pas la même version.

— Ce n'est pas MOI qui l'ai laissé cuire trop longtemps, les informa-t-il, c'est le pain qui *a attendu* trop longtemps. Comme moi, il a attendu quarante minutes avant que votre mère ait la bonté de vous déposer.

A cette nouvelle attaque contre leur mère, Lydia pinça les lèvres.

— Elle a dit que la circulation était mauvaise.

Daniel pinça les lèvres à son tour.

— Naturellement, votre mère se sera laissé totalement surprendre par la circulation qui règne dans sa ville natale. Elle n'habite ici que depuis trente-cinq ans, et n'a son permis que depuis quinze. Et cela ne fait que deux ans qu'elle vous conduit ici, tous les mardis à cette heure de la journée. Alors naturellement, elle n'est pas du tout familiarisée avec le volant, et la densité de la circulation la sidère.

— Ce n'est pas très facile pour elle, tu sais, d'être une mère célibataire ! rétorqua Lydia.

Daniel se dressa sur sa chaise.

— Tu n'as pas besoin de me le dire, lui rappela-t-il, je suis un père célibataire, aussi. Et tandis qu'elle vous a tous les trois pour lui tenir compagnie presque toute la semaine, moi je suis seul. Et vous avez quarante minutes de retard, comme d'habitude. Ce sont quarante minutes en moins sur le temps que je passe avec vous, temps qui est déjà très limité. Une fois de plus, quarante minutes supprimées par son refus chronique de la ponctualité, et son manque de considération pour mes propres sentiments.

Les trois enfants avaient cessé de mastiquer, mais Daniel ne le remarqua pas. L'inquiétante lueur était revenue dans ses yeux. Plissant les lèvres en une grimace hideuse, il ouvrit le tiroir à l'extrémité de la table, et en sortit un grand couteau imaginaire d'une main, tandis que l'autre empoignait la théière. Avec le même horrible rictus, il fit glisser lentement, avec précision, le couteau imaginaire sur la gorge imaginaire du cosy.

Christopher soupira. La lèvre inférieure de Natalie s'avança. Elle semblait sur le point de fondre en larmes.

Lydia réprimanda son père avec impatience :

— Oh je t'en prie, arrête de faire l'idiot ! Tu vas faire pleurer Natty. Tu nous dis que c'est fini, et tu refais exactement pareil. Elle se tourna vers sa sœur :

— Allons Natty, ne fais pas le bébé. Il n'a pas fait de mal au cosy. Ni à maman. C'est juste qu'il se fâche tout seul. Il ne sait pas se contrôler. Il faut simplement que tu apprennes à faire comme s'il n'était pas là.

— Elle a raison, s'empressa Daniel, plein de remords. Ta sœur a tout à fait raison. Je ne sais pas me contrôler. (Il tomba à genoux devant la chaise de Natalie.) Il faut simplement tu apprennes à faire comme si je n'étais pas là.

— Compte là-dessus, soupira Christopher.

— Compte là-dessus, répéta Natalie.

Elle réconforta son père d'une petite tape, et se sentit plutôt fière.

— Compte là-dessus, fit-elle encore, et elle ajouta aimablement, après réflexion : Tu peux te lever maintenant.

— Merci, dit Daniel. (Il se mit debout, et se frotta les genoux pour enlever les saletés qu'ils avaient amassées par terre.) Je promets d'être meilleur à l'avenir. Je vais m'entraîner pendant tout le temps qu'il nous reste, et je serai absolument parfait quand votre mère vous déposera vendredi.

Lydia et Christopher se figèrent. Natalie le

remarqua aussitôt. Sa cuillère hésita, et resta sus-
pendue à mi-chemin entre son assiette et sa
bouche. Elle scruta avec anxiété le visage de
Lydia d'abord, puis celui de Christopher. Ses
yeux semblèrent à la fois s'agrandir et devenir
plus brillants, jusqu'à ce qu'une énorme larme
s'amasse et s'enfle sur chaque paupière inférieure,
tremblante, menaçant de couler.

Daniel sortit vivement de sa poche un grand
mouchoir à pois rouges et le tendit à sa fille par-
dessus la table. Natalie y enfouit son visage. Son
père ouvrit les bras et elle grimpa sur ses genoux,
avec de petits sanglots. Daniel inclina délicatement la tête de sa fille pour la glisser dans son
cou, et l'enveloppa de ses bras. Puis il leva les
yeux et demanda aux deux autres d'un ton sec :

— Pas de problème pour ce week-end,
j'espère ? Vous venez bien vendredi ? Je ne me
suis pas trompé dans l'organisation, non ? C'est
mon tour de vous avoir pour le week-end ?

Le visage de Lydia se lissa jusqu'à devenir totalement inexpressif ; mais Christopher commença
à se tortiller douloureusement sur sa chaise. Ses
yeux se dérobèrent au regard interrogateur de
son père, et se posèrent involontairement sur
l'enveloppe non ouverte, qui attendait contre le
sac de nourriture pour oiseau.

Et Daniel le vit.

— Ah ah !

En un instant, ses bonnes intentions s'éva-
nouirent. Il se débarrassa de la pauvre Natalie,
bondit sur ses pieds, se saisit de l'enveloppe et
l'éventra. Tantôt agrandis par la surprise, tantôt
rétrécis par la colère, les yeux de Daniel parcou-
rurent le bref message. Ses doigts se crispèrent
sur le bord de la feuille, et leurs jointures
devinrent blanches.

— La sorcière ! L'égoïste ! L'inconsciente !
Aucune considération !

— Papa !

— Me voler mes week-ends ! Comment ose-
t-elle ? Comment OSE-t-elle ?

— Papa, je t'en prie !

— Je pourrais la tuer. Vraiment, je le pourrais !
Parfois, je crois que je serais capable de lui tran-
cher la gorge de bon cœur !

— Non ! Papa ! Non !

En un instant, Natalie fut au bas de sa chaise.
Des larmes brûlantes sur les joues, elle se rua sur
son père et se mit à le frapper de ses poings, avec
frénésie.

Lydia était scandalisée.

— Papa ! Enfin ! Pour l'amour de Dieu !

Affreusement mal à l'aise, Christopher alla

s'accroupir près de la cage de l'oiseau, pour fuir l'orage. Il avait horreur des scènes. Il avança la main vers la petite boule grise, à la tiédeur réconfortante, et se demanda comment Hetty avait vécu toutes ces interminables crises, depuis le jour où elle avait quitté la boutique du marchand d'oiseaux pour venir chez eux.

D'abord, il y eut toutes ces disputes vraiment terrifiantes, dans la cuisine de l'autre maison, quand les assiettes et même la nourriture se mettaient à voler. Tapi avec Lydia dans un coin de la maison – souvent sous le lit d'enfant de Natalie où pour quelque raison, ils se sentaient le plus en sécurité – Christopher écoutait les bruits sourds et les coups, les voix surélevées, hystériques, et se demandait si Hetty était à l'abri derrière les barreaux de sa cage. Et si jamais son père ou sa mère lançait quelque chose de tranchant, ou d'étroit, ou même simplement un peu trop fort ? Et s'ils en venaient à broyer les barreaux de la cage et Hetty avec ? A des moments plus calmes, Christopher supplia qu'on l'autorise à monter la cage dans sa chambre ; mais comme il ne put se résoudre à expliquer pourquoi, de peur de provoquer à nouveau la colère d'un de ses parents, ses requêtes furent ignorées.

Et Hetty dut assister à toutes ces terribles, terribles querelles, puis à ces semaines, ces mois de discussions froides et grinçantes sur l'argent, les rideaux, l'entretien des enfants, et qui prendrait quelle table et quelles photographies.

Toutes ces disputes l'avaient-elles contrariée ? L'avaient-elles rendue malade ?

Et maintenant, des siècles après que papa eut emménagé dans un appartement à lui, et emporté Hetty sur la suggestion de maman, alors qu'elle aurait pu espérer, dans son grand âge, une vie plus calme, il y avait encore ces horribles et imprévisibles moments, jaillis de nulle part — plus vraiment effrayants, mais toujours pénibles, déroutants.

En souffrait-elle ? Christopher chantonna doucement à Hetty un air sans mélodie, tout en passant la main dans ses plumes. Il faisait toujours ce bruit lorsque les choses tournaient mal. C'était comme s'il se mettait à l'écart derrière un mur, et la franche monotonie, la stupidité lancinante de ce petit air inquiétaient toujours terriblement Daniel.

Et cela fonctionna. A peine le fredonnement sans musique eut-il pénétré la conscience de Daniel, que celui-ci fit un énorme effort pour surmonter sa colère et prendre ses enfants en considération.

Laissant tomber sur le sol la petite lettre qui l'avait rendu si furieux, il détacha Natalie de ses jambes de pantalon, et la ramena vers la table de la cuisine.

— Désolé, dit-il, ça m'a échappé. Je ne le pensais pas vraiment. Je promets que je ne dirai plus de méchantes choses sur votre mère.

— Ni que tu lui trancherais la gorge de bon cœur ?

— Ni que je lui trancherais la gorge de bon cœur.

Natalie se força à le croire. Elle essuya ses yeux et son nez ruisselants sur la manche de son père, y laissant comme un grand sillage de limace.

— Compte là-dessus, fit-elle bravement.

— Là, c'est ma Natty à moi.

— Qu'est-ce qu'il y a dans la lettre ?

— Ne t'en fais pas pour ça.

— Dis-moi.

— Pas maintenant.

— DIS-MOI.

Daniel regarda les deux aînés. Lydia s'était remise à lire la pile de lettres écrites cette semaine par son père à diverses agences de comédiens. Il y détaillait ses succès passés, et signalait son actuelle disponibilité. Daniel était bien content d'avoir mis hors de vue toutes ses lettres manuscrites adressées à de vieux amis dans le théâtre, leur demandant s'ils avaient eu vent de quelque possibilité.

Christopher aussi semblait très occupé à caresser la caille. En fait, aucun des deux ne paraissait le moins du monde intéressé par le contenu de la lettre, et Daniel réalisa, pour la première fois seulement, qu'ils avaient certainement trouvé un moyen d'y accéder avant lui. Tout en se demandant lequel, il expliqua à Natalie :

— Votre mère pense que Lydia et Christopher ont besoin de quelques affaires neuves. Donc elle vous garde tout le vendredi soir, pour pouvoir vous emmener faire des courses le samedi matin. Donc vous ne serez pas avec moi avant l'heure du déjeuner.

— L'heure du thé, plutôt, murmura amèrement Christopher.

Et comme Lydia ne disait rien du tout pour défendre leur mère, il rassembla son courage et ajouta :

— Ce n'est pas juste. C'est le week-end de *papa*. Elle n'avait pas à attendre jusque-là pour nous acheter des affaires. D'ailleurs, j'ai seulement besoin de chaussettes. Papa peut bien acheter des chaussettes.

— Évidemment, je le peux ! l'assura Daniel. Je

peux acheter des jupes aussi. Et des chaussures de gym, et des tricots en laine, et même des culottes de fille.

Cette grossièreté manifeste fit pouffer Natalie. Christopher se mit brusquement à chanter :

« Maman peut acheter plein de choses,
                    mais Papa fait ça encore mieux !
Papa peut tout acheter mieux que Maman ! »

Il prit les mains de Natalie, et l'entraîna dans une ronde en chantant à tue-tête. Natalie attrapa au vol la main de son père et l'entraîna à son tour. Au grand étonnement de Daniel, Lydia se joignit d'elle-même à eux.

« Maman peut acheter plein de choses,
                    mais Papa fait ça encore mieux !
Papa peut tout acheter mieux que Maman !

– Oui il peut.

– Oui je peux.

– Oui il peut.

– Oui je peux.

– Oui il peut. Oui je peux. Oui il peut. »

Ils tombèrent à la renverse en riant. Natalie grimpa sur l'estomac de son père, et s'en servit de trampoline jusqu'à ce qu'il la maintienne fermement assise, en légitime défense.

Dans l'excitation générale, Christopher perdit la tête, et cria :

— Oh vas-y ! Dis-lui !

Daniel libéra momentanément Natalie pour faire un geste d'impuissance. Il avertit gentiment Christopher.

— Tu connais ta mère...

— Appelle-la !

— Dis-lui !

— *Pourquoi* est-ce que nous manquerions toute la nuit du vendredi et presque tout notre samedi avec toi ?

— Tu peux acheter des chaussettes !

— Ce n'est pas normal !

— C'est ton week-end, pas le sien.

Les voix, tout comme les directives s'affaiblirent graduellement. Eux aussi, connaissait leur mère.

— On pourrait *demander.*

— Oui, demande-lui !

— Il est *possible* qu'elle... On ne sait jamais.

— On pourrait le *suggérer.*

— Y faire une allusion, discrètement.

— Non, elle ne sera pas d'accord.

— Elle ne l'est jamais.

— Jamais !

— Ce n'est pas juste, non ?

— Non, ce n'est pas juste...

Daniel regarda tour à tour les visages de ses

trois enfants. L'un reflétait la déception, les deux autres une profonde amertume.

Il dit à Lydia :

— Tu le savais déjà quand tu es arrivée, n'est-ce pas ?

Elle acquiesça, trop abattue pour même chercher à dissimuler.

— Toi aussi ?

Christopher haussa les épaules.

— Mais pas Natalie.

— Elle aurait très bien pu le savoir, explosa Christopher, ça arrive pratiquement à chaque fois ! Dès que c'est notre tour de venir chez toi, maman se débrouille pour trouver une excuse. Elle déterre une quelconque vieille grand-tante qui ne nous a pas envoyé de cadeaux depuis des années, mais qui brusquement ne peut pas passer une semaine de plus sans prendre le thé avec nous.

— Ou alors, elle achète des billets pour quelque chose et affirme qu'il ne restait de places que pour ce jour-là.

— Ou bien, pour être sûre que nous soyons obligés de rentrer, elle nous prend rendez-vous chez le médecin.

— Ou le dentiste.

— Ou l'opticien.

— Ou bien elle nous dépose ici avec des heures de retard parce qu'elle va porter la voiture pour la faire réviser.

— Ou elle vient nous chercher des heures à l'avance parce qu'elle doit récupérer la voiture.

— On ne te voit presque pas.

— Et quand on te voit, elle téléphone sans arrêt.

— Pour nous surveiller comme si nous étions des bébés.

— Et pour te surveiller toi aussi.

Ponctuelle, telle une hantise, la sonnerie du téléphone retentit dans la pièce voisine. Ils restèrent muets, atterrés.

— J'y vais, dit finalement Daniel.

— Oh non, tu n'y vas pas, dit Lydia. Je n'en peux plus pour aujourd'hui. Moi, j'y vais.

Elle repoussa rageusement la chaise contre laquelle elle était appuyée. Le raclement des pieds sur le sol fit souffrir leurs dents. Ils restèrent silencieux, tandis que Lydia sortait de la cuisine d'un pas furieux, et allait décrocher le combiné pour mettre fin à l'obsédante sonnerie.

Daniel s'aperçut que Natalie s'était bouchée les oreilles. Doucement, il écarta ses mains et les embrassa. Christopher reprit son fredonnement désagréable, mais Daniel serra les dents et se tut.

Lydia revint.

— Eh bien, taquina Daniel, tu ne nous racontes pas ce qu'elle a dit ?

La pensée qu'elle pourrait le faire ne l'effleura pas un seul instant. Jamais elle ne le faisait. Elle revenait toujours, l'air renfrogné, et si on la questionnait elle haussait simplementt les épaules et disait d'un ton boudeur : « Rien. » Elle pouvait rester tranquille pendant des heures, parfois indéfiniment, et ne parlait à Daniel que si elle avait l'occasion de l'attraper seul un instant, pendant qu'il fouillait dans le placard de l'entrée, à la recherche de pots de fleurs, ou tandis qu'il étendait du linge dans le débarras, ou qu'il sortait des toilettes. « Ce coup de téléphone... » disait-elle alors d'une voix parfaitement détachée. Daniel faisait un signe de tête pour montrer qu'il écoutait. « Elle dit que ton argent est arrivé avec quatre jours de retard ce mois-ci, et elle te demande d'essayer, s'il te plaît, d'être un peu plus régulier à l'avenir. » Ou : « C'était pour que je te rappelle que quatre chaussettes qui étaient venues avec nous il y a quinze jours, ne sont toujours pas rentrées. Une paire de marron, une montante rouge, et une chaussette d'école. »

« En-ten-du ! » disait Daniel aussi gaiement que possible entre ses mâchoires serrées. Mais Lydia avait déjà tourné les talons.

Cette fois, ce n'était visiblement pas aussi insignifiant qu'une histoire de chaussettes, Daniel le comprit tout de suite. Le visage de Lydia était tendu et très pâle. Elle semblait étouffer de rage. Il réalisa horrifié que cette fois-ci, quelle que fût la raison du coup de téléphone, elle était si terrible que sa fille ne pouvait la garder pour elle un instant de plus. Elle était sur le point de la leur dire à tous. Il tenta de l'arrêter.

— Lydia !

Mais il était trop tard. Elle s'était déjà tournée vers Christopher, dont la chanson se mua en un faible staccato de sons étranglés à la seule vue du visage de sa sœur.

— Le message était pour toi, lui dit-elle. Ça ne pouvait pas attendre deux heures, que tu sois de retour. Il fallait qu'on te le dise maintenant. Il fallait absolument qu'elle appelle. Il fallait que tu saches.

— Que je sache quoi ? lui demanda-t-il terrifié.

Elle prit une grande inspiration.

— Lydia ! Non !

C'était comme si cela avait un tel mauvais goût, qu'il lui fallait le cracher tout de suite.

— Le chat a attrapé tes hamsters. Il les a vraiment eus, cette fois. Ils les a déchiquetés. Ils sont morts tous les deux, Henry et Madge. Elle dit qu'elle est arrivée juste pour voir les dégâts, et les éclaboussures de sang sur le tapis.

Son monstrueux message délivré, Lydia détourna son visage en larmes.

Toujours assis par terre, Christopher se pencha en avant et enfouit sa tête dans ses bras. Ses épaules se soulevèrent. Les doigts de Natalie retournèrent discrètement dans ses oreilles.

Daniel regarda sa triste et pitoyable petite famille.

— Bonne vieille Miranda, se murmura-t-il doucement à lui-même, encore un goûter gâché. Je vous jure qu'un jour je lui trancherai la gorge.

Et Natalie, les doigts toujours enfoncés dans les oreilles, ne l'entendit pas.

II

TOUT NU
DEVANT LES VOISINS

A 6 heures, Daniel réalisa qu'il ne pouvait plus prétendre qu'il attendait le bon moment pour leur annoncer sa nouvelle. S'il attendait davantage ils seraient partis. Quatre jours entiers passeraient avant qu'ils ne reviennent pour le week-end, et à tout moment durant ces quatre jours, l'un ou l'autre de ses enfants risquerait d'apprendre la nouvelle par quelqu'un d'autre. Il voulait la leur dire lui-même. Mais d'un autre côté...

Il y avait du joueur en Daniel Hilliard. Balayant la pièce à la recherche d'un prétexte à sursis, ses yeux tombèrent sur la caille qui se trouvait être profondément endormie, dans un coin de sa cage.

La prochaine fois qu'elle pituite, je leur dis, songea Daniel. C'est décidé. Sans appel.

Dès cet instant il se tint très tranquille, de peur que quelque geste ou bruit précipité ne provoque le réveil prématuré de Hetty.

Christopher éternua. La caille se réveilla et pituita.

Ça ne compte pas, se persuada Daniel.

Christopher éternua de nouveau. Il était assis près d'un tas de copeaux de bois amassés sur un journal, et collait ensemble les plus larges et les plus bouclés en un ornement tombal convoluté, qu'il avait l'intention de planter dans le sol, au-dessus des restes de ses hamsters. Chaque fois qu'il fouillait dans le tas de copeaux à la recherche de la spirale idéale pour la suite de son œuvre, un petit nuage de poussière s'élevait et lui chatouillait les narines. Il éternua une troisième fois, encore plus fort.

La caille pituita de nouveau. Sachant s'avouer vaincu, Daniel se mit debout, ajusta sa cravate, s'éclaircit bruyamment la gorge et annonça :

– J'ai des nouvelles.

Christopher leva les yeux de son ornement tombal. Lydia regarda son père par-dessus la bande dessinée en lambeaux qu'elle lisait pour la troisième fois. A la table, Natalie s'arrêta de crayonner.

– J'ai trouvé du travail.

Il y eut un court silence. Puis Natalie gloussa. Les deux autres se mordirent les lèvres et échangèrent un regard, mais Daniel ne le remarqua pas. Embarrassé, il continue pour la caille : « Ici, au Collège d'Art. Quatre matinées et deux soirées par semaine. »

Malgré ses efforts pour se contenir, Natalie à présent hoquetait sur sa chaise. Christopher se pencha sur son ornement de tombe pour dissimuler un sourire, le premier depuis le coup de téléphone. Lydia plongea la tête dans sa bande dessinée.

— Il ne s'agit pas exactement de jouer la comédie, poursuivit Daniel, mais ce n'est pas mal payé, pas mal payé du tout, étant donné...

— Étant donné quoi ? demanda Christopher.

Daniel répondit, non sans une légère hésitation.

— Étant donné ce que j'ai à faire.

— *Qu'est-ce* que tu as à faire, papa ? demanda sournoisement Lydia.

Maintenant c'était le tour de Christopher de glousser, tandis que Natalie devait s'enfoncer le poing dans la bouche pour empêcher le rire d'exploser.

Après une autre pause, Daniel répondit d'un ton désinvolte :

— Pas grand-chose. En quelque sorte, je dois simplement être assis, voilà.

— Simplement être assis ?

— Ou debout.

Lydia dit :

— Et est-ce qu'il t'arrive d'être simplement couché aussi ?

— Je pourrais être simplement couché, oui. Oui, je le pourrais, à l'occasion, si c'est spécialement requis. Oui, je le pourrais.

Natalie ne pouvait plus se retenir.

— Tu es habillé *comment* ? s'écria-t-elle. Allez papa, dis-nous ! Tu es habillé comment pour faire ce travail ?

Le visage de Daniel s'empourpra violemment, et il accusa sa petite fille :

— Tu savais ! Tu savais déjà ! Tu savais depuis le début !

Christopher sourit largement.

— Maman est absolument furieuse, dit-il avec une satisfaction évidente. Elle est complète folle. Je ne l'ai jamais, jamais vue aussi en colère. Même pas le jour où tu as terrifié tous les petits à la fête de Natalie, en entrant déguisé en gorille. Ou quand tu as dit que tu avais écrasé grand-mère en reculant la voiture. Ou quand tu as affirmé que tu avais entendu un panier à provisions faire tic tac, chez Woolworth, et que l'équipe de déminage a fait sauter toutes les courses de la vieille dame.

— Je vois ce que tu veux dire, l'interrompit froidement Daniel. Ta mère n'est pas contente.

— Ah, çà non.

— Eh bien elle devrait peut-être l'être. Elle a passé suffisamment de temps, récemment, à se plaindre que son argent arrivait en retard. Elle devrait être contente que je me sois enfin trouvé un travail.

— Mais papa ! s'exclama Lydia, *quel* travail ! Honnêtement ! Poser nu !

Ces mots firent hurler de rire Natalie.

— Je n'ai pas à avoir honte, répliqua vivement Daniel. C'est un vrai travail. Un travail payé, avec de l'argent. Il faut bien que quelqu'un le fasse. Il bomba le torse. Je pense être assez doué pour ça, d'ailleurs.

— C'est ce que pense aussi Mme Hooper, lui dit Christopher.

Daniel ouvrit de grands yeux.

— Mme Hooper ? Mme Hopper qui habite à côté de chez vous ? Comment le saurait-elle ?

— Elle t'a vu.

— Elle m'a VU ?

Daniel était horrifié.

— Enfin, elle t'a peint, quoi.

— Elle m'a peint ? Comment ? Tout nu ? Sans vêtements ?

– C'est ce qu'a dit M. Hooper, quand il est venu se plaindre à maman.

– Je n'arrive pas à le croire. Daniel se prit la tête à deux mains. Ma propre ex-voisine m'a vu nu.

– Elle non plus, elle n'arrivait presque pas à le croire, dit Lydia. Elle a dit qu'elle t'a à peine reconnu, au début, sans tes vêtements, parce que tu n'étais pas du tout comme elle l'imaginait.

– Imaginait ? Imaginait ? Daniel blêmit. Tu veux dire que pendant des années, quand j'étais là, tout innocent dans mes bottes en caoutchouc, à bavarder avec elle par-dessus la clôture, du mildiou des pommes de terre et de la pourriture de la carotte, cette femme, appuyée sur son râteau, était en train de m'imaginer sans vêtements ?

– Eh bien, c'est ce que pense M. Hooper apparemment, puisqu'il est venu se plaindre à maman.

– Il a dit à maman que c'était dégoûtant, rapporta joyeusement Natalie.

– Vraiment dégoûtant, renchérirent les deux autres.

Il était clair que les termes exacts de la conversation étaient bien gravés dans leur esprit.

– Ah bon ? dit Daniel.

Sans y penser, il ramassa sur le sol quelques

rouleaux d'une corde imaginaire, et se mit non-chalamment à confectionner un nœud de potence.

— Et qu'est-ce que votre mère a répondu à cela ? demanda-t-il d'une voix dangereusement détachée.

Lydia et Christopher s'empressèrent de mettre en garde Natalie par une grimace. Mais il était trop tard.

— Elle a répondu qu'elle trouvait ça dégoûtant, elle aussi, lui dit Natalie.

Daniel resserra légèrement son nœud coulant.

— Ah bon ? dit-il glacial. Elle a vraiment dit ça ?

— Oui, oui. C'est ce qu'elle a dit.

— Et ensuite ? la pressa Daniel, tout en jouant avec sa corde.

Sans remarquer aucun des signes de danger, Natalie s'enfonça gaiement jusqu'au cou :

— Ensuite M. Hooper a sorti le dessin de toi sans tes habits, du sac dans lequel il l'avait caché pour l'apporter à la maison, et l'a étalé sur la table du salon. Ensuite maman et lui l'ont regardé pendant un petit moment. Ensuite maman a commencé à rigoler.

— Ah bon, vraiment ?

Natalie sembla songeuse.

– On ne voit pas maman rigoler souvent, fit-elle remarquer. D'habitude elle est beaucoup trop occupée.

– C'est certain, acquiesça Daniel, ta mère est habituellement bien trop occupée à diriger l'Empire, pour prendre le temps de rire une seconde. Et je suis honoré qu'elle ait jugé bon de faire une exception dans ce cas.

Lydia prit la défense de sa mère.

– Ce n'est pas l'Empire. C'est le Palais. Le Palais du Luminaire. Et tu ne peux pas vraiment lui en vouloir d'avoir ri. Il y avait des choses très drôles dans le dessin de Mme Hooper.

Daniel commença à régler le diamètre de son nœud coulant imaginaire à la dimension d'une tête.

– Tiens donc. Et lesquelles, exactement ?

– Tu sais bien, dit Lydia rougissant à son tour. Les endroits *drôles*. Tu étais tout nu !

Daniel testa la résistance de sa corde imaginaire, et vérifia que le nœud coulissait bien.

– Modèle est une profession honorable, leur dit-il d'un ton docte. L'art mérite des sacrifices, et les artistes doivent apprendre. Si ce que l'on nomme communément les classes de travaux pratiques sont essentielles à leur formation, alors poser pour une classe de travaux pratiques est une contribution à la fois acceptable et non négligeable à la civilisation et à la culture.

— Même sans tes habits ? gloussa Natalie. Elle tentait de ramener son père aussi vite que possible à l'aspect du sujet qui l'intéressait le plus.

— Même sans mes habits, répéta gravement Daniel.

— Alors comment se fait-il que tu n'aies pas dit bonjour ? ricana Christopher.

— Pardon ?

— Comment se fait-il que tu n'aies pas dit bonjour à Mme Hooper au cours de dessin ? Trois heures, a-t-elle dit, et tu ne lui as même pas fait un clin d'œil ou un signe de tête.

— Je ne l'ai *pas vue*.

— *Elle* t'a vu. Elle t'a vu entièrement. Elle a dit qu'elle était si près qu'elle aurait pu te cracher sur la poitrine.

Daniel se redressa de toute sa taille, qui était considérable.

— Le mari de cette femme a tout à fait raison, leur fit-il remarquer. Elle est dégoûtante, vraiment dégoûtante.

— Elle trouve simplement que tu aurais pu être un peu plus amical. Elle a dit à maman : « On ne sait jamais, avec les gens, vous ne croyez pas ? Vous vivez pendant des années à côté d'eux, vous passez des heures à bavarder par-dessus la clôture de la tavelure de la pomme, du mildiou et de la moniliose et soudain, vous êtes assis à un mètre d'eux à peine, et ils ne vous disent même pas bonjour ! »

— Je ne l'ai *pas vue !*

— C'est ce que maman lui a dit. Elle a expliqué que tu étais probablement si embarrassé de te pavaner comme ça, tout nu devant des étrangers, que tu ne pouvais regarder personne dans les yeux.

Daniel tira brutalement sur son nœud imaginaire.

— Je ne me « pavanais » pas, les informa-t-il, les dents serrées. Je me tenais parfaitement immobile. J'étais « Adam dans le Jardin ».

— Mme Hooper dit qu'elle s'était toujours représenté Adam comme un homme un peu plus en chair que toi. Elle a dit qu'elle te voyait davantage représenter « le Sinistre Moissonneur ».

Daniel fixa ses trois enfants d'un air plutôt menaçant.

— Mme Hooper n'est qu'une Philistine, leur dit-il. Son mari aussi, et votre mère également. A présent, reste-t-il des critiques que vous aimeriez formuler sur mon nouvel emploi, avant que nous n'abandonnions le sujet une fois pour toutes ?

— Ce n'est pas la peine de te mettre en colère contre *nous* dit Christopher, juste parce que maman désapprouve ton nouveau travail.

— Ce n'est pas le *travail* qu'elle désapprouve, précisa Lydia. Elle dit qu'elle comprend parfaitement que *quelqu'un* doive poser nu s'il y a éventuellement des gens qui préfèrent étudier l'art plutôt que de gagner intelligemment leur vie. Simplement elle dit qu'elle ne voit pas pourquoi, mon Dieu, ce quelqu'un doive se révéler être le père de ses propres enfants.

— Dans ce cas, dit Daniel, votre mère n'est pas seulement une Philistine, mais également une hypocrite. Et pas très intelligente elle non plus, puisque je vais utiliser l'argent que je gagne pour payer votre pension un peu plus rapidement.

— Maman dit qu'elle en doute. Elle dit que de toute façon, tu ne gagneras pas grand-chose.

— Moins par semaine que notre femme de ménage.

Daniel parut déconcerté.

— Mais vous n'avez pas de femme de ménage.

— Pas encore, concéda Lydia, mais nous allons en avoir une.

— Pourquoi faire ? Pourquoi votre mère a-t-elle besoin d'une femme de ménage ? Faire du ménage est son passe-temps préféré. Sa maison est parfaite, impeccable, immaculée. En fait, elle éblouit quand on y rentre. On en a mal aux yeux. Chaque meuble miroite, étincelle, comme dans les publicités.

Il se tut, se remémorant de vieilles batailles, et ajouta au bout d'un moment, avec un peu de mélancolie dans la voix :

– Mais c'est ainsi que cela lui a toujours plu, n'est-ce pas ? Personnellement, j'ai toujours trouvé qu'un peu de désordre était plus confortable.

Il écarta largement les bras, pour les inviter à jouir du confortable désordre qui régnait dans la pièce. Son regard se posa malencontreusement sur une étagère dans un coin, dont l'une des extrémités s'était effondrée huit mois plus tôt. Puis sur la lanterne en papier crasseuse, dont les lambeaux pendaient de la douille du plafond. Puis sur la corbeille à papiers qui n'avait pas été vidée de ses pelures de pomme, écorces d'orange et peaux de banane depuis tant de semaines, qu'elle donnait l'illusion d'un petit tas de terreau posé dans l'appartement, et s'était mise à fermenter tranquillement. L'air de fier propriétaire qu'arborait Daniel s'effaça progressivement pour faire place à une expression de malaise grandissant. D'épaisses couches de poussière empêchaient chaque surface d'aspirer à luire un jour, sans parler d'étinceler.

Le mobilier était mal assorti et mal arrangé. Le store était à moitié décroché. Journaux et papiers divers encombraient la pièce à tel point que lorsque Daniel avait, quelques instants plus tôt, ordonné à Christopher de garder ses saletés de copeaux et de colle sur un journal, son fils avait simplement glissé de la table à l'océan de papiers et de couleurs qui noyait le sol, et poursuivi tranquillement.

Daniel était forcé de l'admettre, la pièce semblait dans un état presque désespéré, non loin d'être une cause perdue. Même Hetty avait renoncé à toute coopération en matière d'entretien, et expulsait au travers des barreaux de sa cage ses vieux restes de nourriture et sa litière souillée, qui venaient atterrir sur le sol. Daniel se sentit submergé par une douce vague de découragement. Ce n'était pas la première fois, depuis qu'il était devenu entièrement responsable de l'état de son intérieur.

— Cette pièce supporterait un petit nettoyage de printemps, admit-il. Je devrais m'y mettre.

La seule pensée de toutes les heures de corvée que cela entraînerait le consterna. Il se tourna vers Lydia pour affermir sa résolution.

— Simple question de curiosité, comprends-moi bien, commença-t-il délicatement, et sans vouloir un instant m'immiscer dans les affaires de ta mère — c'est la main-d'œuvre non spécialisée qui te parle — combien gagnerais-je à nettoyer mon propre intérieur ?

— Trois livres de l'heure, répondit Lydia sans hésitation.

— Quoi ? Daniel était choqué. Trois livres de l'heure pour nettoyer une maison déjà immaculée ? Pour essuyer une quelconque, une éventuelle petite tache sur un miroir étincelant ? En es-tu bien sûre ?

— Il faut aussi s'occuper d'enfants, lui rappela Lydia.

— S'occuper d'enfants ? Daniel était dérouté.

— Tu sais bien. Nous garder de la sortie de l'école jusqu'à ce que maman rentre de son travail, à 6 heures et demie.

— Tu veux dire songer à appeler la police si l'un de vous n'est pas revenu à 4 heures et demie ? Signaler à ton frère qu'il devrait accrocher sa veste au lieu de la laisser par terre dans l'entrée ? Rappeler à Natty d'allumer la télévision à l'heure de Blue Peter ? Donner l'orthographe d'un mot quelconque ? Admirer la beauté d'un quelconque exercice de maths modernes ? Ce genre de choses ?

— Je crois, oui.

— Trois livres de l'heure ! gémit Daniel. *Trois livres de l'heure !* Et moi, pour à peine deux sous de plus, je reste raide comme un manche de râteau, en public, avec les noisettes qui jouent des castagnettes !

Lydia tenta de le consoler :

— Il y a un tout petit peu de cuisine...

— Un peu de cuisine ? Un peu de cuisine ? Tartiner un petit pain avec du beurre de cacahuètes ! Faire cuire un œuf de temps en temps ! Brancher le grille-pain ! Une bonne femme s'apprête à gagner trois livres de l'heure pour ça ? Je n'arrive pas à le croire ! Mais qu'est-ce que votre mère a dans la tête, pour dépenser de cette manière l'argent que je lui envoie ?

— Ce n'est probablement pas *ton argent,* lui dit Lydia d'un ton pincé. C'est probablement *le sien.* Elle gagne davantage au Palais cette année. Et maman trouve ridicule de faire des économies en payant les autres un salaire minable — surtout les femmes. Elle dit que le travail est mieux fait si l'on n'exploite pas le fait que d'autres paient moins. Elle dit que c'est cette politique de direction de type expansif qui l'a menée où elle est aujourd'hui.

— Le chef incontesté de l'Empire !

— Du Palais.

— Peu importe, avec les moyens de s'offrir une femme de ménage.

— En fait c'est une gouvernante, corrigea Christopher. Et il ajouta étourdiment : maman dit qu'elle va devoir partir plus souvent pour son travail cette année, et elle a besoin de nous laisser avec une personne digne de confiance.

— Pourquoi ne peut-elle pas vous laisser avec moi ? Je suis une personne de confiance. Je suis également votre père.

Le visage de Christopher changea d'expression. Ses traits paraissaient soudain tirés, fatigués. Il répondit avec humeur :

— Parce qu'elle ne peut pas.

— Elle ne peut pas ?

— Elle ne veut pas, si tu préfères.

Daniel le fixa intensément.

— Tu lui as demandé, non ? Tu lui as suggéré ?

Christopher s'empourpra. Sa colère montait.

— Évidemment, on lui a suggéré, rétorqua-t-il.

— Et qu'a-t-elle dit ?

— Pas grand-chose, laissa tomber Christopher avant de lui tourner le dos.

Daniel le saisit par les épaules et l'obligea à lui faire face.

— Qu'a-t-elle dit ?

Les autres regardaient.

— Elle a dit que ça perturberait sa routine.

— Perturberait sa routine ? *Perturberait sa routine ?*

Le visage de son fils était sans expression.

Daniel serra le poing, et en frappa violemment la paume de son autre main. Il pressa Christopher :

— Mais toi, tu voulais venir ?

Christopher eut un mouvement d'exaspération, et se tourna vers Lydia pour chercher du secours.

Elle répondit pour lui.

— Bien sûr qu'il voulait venir. Moi aussi. Et Natalie aussi. Comment pourrions-nous avoir envie de rester là-bas tous les soirs avec quelqu'un que nous ne connaissons même pas, et qui passe son temps à dire : « Je ne suis pas tout à fait sûre de ça, ma chérie. Il vaut mieux que nous attendions que ta maman revienne pour lui demander. » Nous n'en avons aucune envie. Nous préférerions être ici avec toi. Et de loin. Mais ça n'arrivera pas, n'est-ce pas ? Elle ne nous laissera pas, et je ne vais pas pleurer pour ça !

Mais à la voir soudain, ce n'était pas si sûr.

Daniel dit :

— Je pourrais lui demander.

Les enfants étaient silencieux.

— C'est une demande raisonnable.

Personne ne répondit. Leurs visages, d'ailleurs, disaient clairement : Depuis quand cela fait-il une différence ?

— Je pourrais tenter de faire revenir votre mère devant le tribunal…, considéra Daniel.

Lydia frissonna.

— Oh non, je t'en prie ! Pas encore ! Pas après ce qui s'est passé la dernière fois ! C'était vraiment horrible ! Horrible !

Christopher s'empressa de soutenir sa sœur.

— Et ça n'a pas marché !

— Non, dit Daniel. Ça n'a pas marché. Elle s'est simplement mise à se forger des excuses, et nous a fait perdre un temps fou à les détailler dans ses interminables lettres.

Son regard se fit de nouveau lointain, vitreux.

Il faut essayer autre chose…

Il tourna le dos à ses enfants et réfléchit intensément. Sa main tira le mouchoir à pois rouges de sa poche. Il enroula deux extrémités autour de ses doigts et, sant se douter de ce qu'il faisait, il passa la petite bande de tissu autour du premier objet venu, une large miche de pain tranchée, et d'un geste ferme, l'étrangla.

Des morceaux de pain partirent dans toutes les directions. Les enfants regardaient, hébétés.

III

UNE VISITE
DE LA SORCIÈRE

Ils étaient encore en train de ramasser les morceaux de pain éparpillés sur le sol, lorsqu'un klaxon retentit dans la rue. Daniel regarda subrepticement la pendule au mur. Il était à peine 7 heures moins vingt. Irrité, il affecta de n'avoir pas entendu les appels insistants.

Christopher se mit debout et se frotta les mains pour en faire tomber les miettes. Lydia considéra avec hésitation les restes qui jonchaient encore le plancher. Natalie sauta maladroitement sur ses pieds.

— Ça doit être maman.

— Certainement pas ! (Daniel feignit la plus vive incrédulité.) Cela ne peut en aucun cas être votre mère. Il est beaucoup trop tôt. (Il reste encore au moins vingt minutes. Il jeta les vestiges de la miche de pain sacrifiée dans le vide-ordures.) C'est obligatoirement quelqu'un d'autre.

Christopher s'approcha de la fenêtre suffisamment pour observer la rue sans être vu.

— Quelqu'un d'autre, avec une Volvo ? demanda-t-il.

— Pourquoi pas ?

Désespéré, Christopher regarda Lydia qui soupira en levant les yeux au ciel.

— Une Volvo rouge, insista Christopher.

— Cela peut arriver. Ça n'a rien d'étonnant, s'obstina Daniel. Avec une fausse nonchalance, il rangea la pelle et la balayette dans le placard. Il y a plus d'une Volvo rouge dans cette ville.

— Plus d'une avec des boîtes du Palais du Luminaire empilées à l'arrière ? Plus d'une avec au volant, une femme rousse en train de s'énerver ?

Le klaxon retentit de nouveau, strident et péremptoire.

— Papa... ? implora Natalie, les yeux humides.

Le klaxon retentit encore. Secoués par la franche impatience qu'il contenait, les enfants se mirent à s'agiter en tous sens pour rassembler leurs affaires.

— Arrêtez ! cria Daniel. Arrêtez de courir comme des poulets sans tête ! Il n'y a aucune raison pour une telle *panique !*

Ils s'arrêtèrent net, hésitants et anxieux.

Les mains tendues, Daniel plaida :

— Elle ne peut même pas être sûre que vous êtes là. Elle ne devait pas venir vous prendre avant vingt minutes. Nous pourrions être en train de faire des courses, ou dans le parc. Elle ne sait pas.

— Elle sait, dit Christopher. Il ramassa son manteau et se mit à batailler fébrilement pour l'enfiler.

— Enlève ce manteau ! rugit Daniel.

Christopher le regarda fixement.

— *Enlève ce manteau !*

Christopher arracha de son bras la manche froissée et jeta le manteau à terre.

— Tu vas nous faire avoir des ennuis ! hurla-t-il.

— C'est vrai, renchérit Lydia.

— S'il te plaît, papa, laisse-nous partir, supplia Natalie.

— Écoutez-moi, dit Daniel. Il inspira profondément et tenta de rester calme. Écoutez-moi, tous les trois. Ça ne peut pas durer. Elle vous dépose ici avec quarante minutes de retard, et vous n'osez pas lui dire un mot. Elle vient vous chercher avec vingt minutes d'avance. Elle klaxonne. Et brusquement vous ne pensez plus qu'à vous précipiter docilement dehors.

Il désigna Natalie.

— Regardez la pauvre Natty ! Elle est déjà ter-
rifiée. Sa maman attend dans la voiture depuis
deux minutes, et Natalie est presque en larmes.

Puis il se désigna lui-même.

— Regardez-moi ! Il a fallu que j'attende toute
une semaine, et quarante minutes supplémentaires. Et il n'y a personne à qui cela donne
envie de pleurer !

— Ce n'est pas pareil, objecta Christopher.

— Pourquoi, *pourquoi* ?

— Tu sais bien pourquoi.

— Oui je le sais ! (Le sang-froid de leur père
s'évanouissait à vue d'œil.) Ce n'est pas pareil à
cause de cette sorcière égoïste et inconsciente qui
n'a aucune considération pour les autres. Voilà
pourquoi, n'est-ce pas ?

Il donna un grand coup sur la table.

— Ça ne peut plus durer. Vous comprenez ?
Ça ne peut plus durer. Vous n'êtes pas seulement
ses enfants, vous savez. Vous êtes aussi les miens.
Elle n'a aucun droit de nous traiter comme ça.
J'ai été un mari convenable. (Il bomba le torse.)
Non, j'irai plus loin que ça. J'ai été un *très bon*
mari. Je me suis assuré qu'elle n'oubliait pas de
prendre ses vitamines quand elle était enceinte. Je
l'ai nourrie de bonne choses saines. Je l'ai fait

arrêter de fumer. Je me suis toujours chargé des provisions lourdes, et je lui ai remonté le moral, et je lui ai apporté d'innombrables tasses de thé. Et si jamais elle était prise de panique et disait que la dernière chose au monde dont elle avait envie était un enfant, je lui promettais de vous emporter à l'orphelinat le plus proche, dès votre naissance, et de vous laisser dans une boîte sur le pas de la porte. Qu'est-ce qu'un homme peut faire de plus ? Ensuite, après que chacun de vous a été né, j'ai fait de mon mieux. Je vous ai pris, je vous ai portés, je vous ai baignés, ai changé vos couches, mouliné vos repas, attaché vos tétines à vos vêtements, poussé vos landaus.

Il était hors de lui. Lydia et Christopher gardaient un silence buté, tandis que Natalie, au bord des larmes, semblait honteuse.

– J'en suis passé par autant de fichus cours d'hygiène rasants et autant de réunions sinistres dans les salles paroissiales qu'elle, je peux vous l'assurer. J'ai glacé vos gâteaux d'anniversaire, et tapissé les murs de vos chambres. (Il se frappa la poitrine.) C'est moi qui me suis colliné la comédie de la petite souris ! Oh, oui. Ne vous y trompez pas, j'en ai fait autant qu'elle. Vous êtes mes enfants autant que les siens !

Lydia et Christopher le regardaient l'air

farouche, profondément indignés par ce discours, et particulièrement blessés par ses implications de propriété. Les yeux baissés, Natalie inspectait ses pouces. Elle ne savait pas encore, pour la petite souris...

Sentant monter leur ressentiment, Daniel fit un gros effort pour abaisser sa voix à un niveau tolérable.

— Alors, qu'allons-nous faire à cela ? demanda-t-il. Que devons-nous faire ? J'ai proposé de retourner au tribunal pour l'empêcher de réduire le temps qui m'est réservé, et dont il avait été convenu. Vous avez tous trois dit non. Cette réponse n'aurait pas pu être plus spontanée. Très bien. C'est votre décision et je ne peux pas dire que je vous en blâme.

Il tendit les mains, implorant.

— Mais moi, dans cette histoire ? Où cela me mène-t-il ? Nulle part, voilà où cela me mène. Et je ne suis plus en mesure de le supporter.

Il dévisagea tour à tour chacun de ses enfants, passant du visage inexpressif de Lydia, à la grimace méfiante de Christopher, puis au regard embué de larmes de sa petite dernière.

— Donc, conclut-il, si vous ne m'autorisez pas à demander au tribunal de tenir tête à votre mère pour vous, il ne reste qu'une solution. Vous devrez apprendre à lui tenir tête vous-mêmes.

Les enfants le regardèrent, absolument effarés.

— Que pouvons-nous faire d'autre ? demanda-t-il avec douceur. Dites-le-moi, j'aimerais vraiment le savoir. Y a-t-il une alternative à ce que vous appreniez tous les trois à tenir tête à votre mère ?

— Tu pourrais lui tenir tête toi-même ! répliqua vivement Christopher.

Ce fut le tour de Daniel de montrer des signes d'effarement.

— Qui ? Moi ?

— Oui, toi. Tu vas bien vite, quand il s'agit de nous le demander. Fais-le d'abord.

— Très bien, cria Daniel. Très bien, je le ferai.

Il était inspiré par sa propre éloquence. Il se sentait le courage de Jupiter. Il posa son bras sur les épaules de son fils et lui assura, plein de confiance :

— C'est parti, mon garçon ! Cette fois, c'est vraiment parti ! Tu vas voir !

A cet instant précis résonna dans le hall un cliquetis furieux. Il fut suivi d'un coup assourdissant : la porte d'entrée venait brutalement de s'ouvrir en cognant le mur. Puis il y eut un bref moment de stupeur, troublé par le bruit des morceaux de plâtre qui glissaient du plafond le long des murs.

— Maman !

— Elle est montée !

— Elle en avait assez d'attendre dans la voiture !

— Oh, Seigneur ! murmura Daniel.

Face au danger, sa belle témérité se transformait en pitoyable frousse.

Tandis que le claquement des hauts talons se rapprochait dans le couloir, Christopher saisit l'occasion d'une douce et parfaite vengeance de la fougueuse tirade que leur père leur avait assenée.

— Vas-y, papa, chuchota-t-il en pressant son bras, les yeux brillant d'un enthousiasme innocent. Tiens-lui tête. Ne nous laisse pas tomber.

Miranda Hilliard, directrice générale du Palais du Luminaire Hilliard, apparut dans l'encadrement de la porte, élégante des pieds à la tête, en noir brillant et blanc immaculé. Ses cheveux épais et éclatants rassemblés haut sur sa tête, étaient maintenus par une petite barrette de brillants, judicieusement placée. Avec ses talons de huit centimètres, elle était plus grande que Daniel.

— Bonsoir, Dan.

— 'soir, Miranda.

— Ta porte d'entrée est un peu difficile.

— Elle était verrouillée.

— Ah bon ? Elle jeta un regard par-dessus son épaule, au trou fraîchement creusé dans le papier peint par la poignée de la porte, et aux morceaux de plâtre éparpillés sur le plancher.

— Bon, tant pis, suggéra-t-elle vaguement.

— Oui, tant pis, acquiesça Daniel, aussi aimablement qu'il le pouvait.

Mais elle n'y pensait plus. Elle était déjà en train d'examiner la pièce, évaluant les dangers : fils électriques dénudés qui traînaient sur le sol, paire de cisailles posée, mâchoires béantes, sur un tabouret à hauteur de genou ; et notant au passage chaque indice de désordre : ce qui était posé pêle-mêle sur les meubles, ce qui était ébréché ou cassé, ce qui aurait eu grand besoin d'être nettoyé à fond.

— L'un de tes brûleurs ne fonctionne pas bien, s'enquit-elle en regardant en direction de la cuisinière.

Avant qu'il ait pu s'en empêcher, Daniel avait laissé échapper une exclamation de surprise.

— Comment le sais-tu ?

Elle haussa les épaules.

— C'est évident, lui dit-elle, il ne semble pas tout à fait encastré dans la graisse, comme le sont les trois autres.

Elle s'avança un peu dans la pièce, faisant danser sa jupe. Par-dessus son chemisier à fronces, elle portait un petit gilet de velours qui rappelait à Daniel de vieux souvenirs attendrissants. Cela l'intriguait toujours de voir quels articles de sa garde-robe il pouvait reconnaître. Il avait récemment découvert que son ex-femme savait faire durer ses vêtements éternellement, et dans un moment d'inattention, il avait commis l'erreur de le lui dire. « Cela s'appelle en prendre soin », avait-elle riposté, assez durement. Daniel n'osait donc plus faire de réflexions sur ses tenues. Mais cela ne l'empêchait pas de remarquer.

— C'est quoi, cette chose-là ?

Elle désignait la cage.

— Ça ? C'est Hetty, la caille de Christopher.

— Vraiment ? Je ne me la rappelais pas ainsi.

— Elle a une nouvelle cage, maintenant, expliqua Daniel.

Miranda l'ignora. Elle considérait la caille avec la plus grande suspicion.

— Est-ce que ça fait beaucoup de saletés ? Je ne n'arrive plus à me le rappeler.

Daniel prit la défense de Hetty :

— Pas beaucoup.

Il savait par expérience qu'il était inutile de compter sur Christopher pour parler. Les trois enfants avaient l'habitude de devenir muets lorsque leurs deux parents se trouvaient dans la même pièce. C'était presque comme s'ils sentaient que leurs voix étaient négligeables, à côté d'une entité plus puissante, et dangereuse.

— Il y a plein de saletés par terre, autour de sa cage.

— C'est parce que je n'ai pas balayé ce côté de la cuisine depuis deux-trois jours... confessa Daniel.

— A en juger par les miettes de pain sous la table, tu n'as pas balayé l'autre côté depuis plus longtemps encore.

Daniel fit de son mieux pour se confectionner un sourire agréable, mais il en résulta une grimace crispée.

Miranda passa un doigt entre les barreaux de la cage, et en tâta la caille endormie.

— Fait-elle du bruit ?

Daniel leva un sourcil.

— Comment ça, si elle fait du bruit ? Tu dois bien te souvenir du bruit qu'elle fait. Tu as vécu avec pendant des mois. Elle pituite.

— Pituite ?

Elle poussa de nouveau Hetty du doigt, légèrement plus fort. En caille polie et coopérative, Hetty se mit à sautiller dans sa cage, et pituita.

— C'est ce bruit-là ?

— Oui, dit Daniel. C'est le cri de la caille.

Miranda se retourna, et des flocons de litière s'envolèrent de sa jupe.

— Alors c'est parfait, dit-elle. Nous la prenons.

— Vous prenez quoi ?

— Cette caille.

— Écoute, dit Daniel, sentant dans son dos le regard accusateur de son fils. Ce n'est pas une boutique d'animaux, ici, Miranda. C'est une maison. (Il rapprocha son visage de celui de son ex-femme, et lui parla très fort et lentement, comme si elle était à la fois dure d'oreille et lente d'esprit.) Une-*maison*-tu-me-*comprends* ? Il y a des *gens* qui vivent ici. *Moi*, notamment. *Et* de temps en temps, *Christopher aussi*. C'est *sa* caille. *Tu-ne-peux-pas l'acheter.*

Un soupçon de rose monta aux joues de Miranda Hilliard.

— Ne sois pas idiot, Daniel, lui dit-elle. Je ne veux pas l'acheter. Je veux *l'emporter*. Je pense que ce serait bien pour Christopher, si l'on pouvait mettre quelque chose dans la cage vide, à la maison, pour compenser un peu la mort de ses hamsters.

— Et que suggères-tu que nous mettions dans cette cage vide, ici, demanda Daniel, mâchoires serrées, pour compenser un peu l'absence de sa caille ?

Miranda haussa les épaules. Son gilet se souleva.

— Grands dieux, Dan ! Un peu de sensibilité ! Le pauvre garçon vient juste de perdre ses hamsters ! Ne peux-tu, pour une fois, cesser de penser uniquement à tes droits, et essayer d'être un peu moins égoïste, un peu plus conscient... d'avoir un peu de considération pour autrui ?

— Égoïste et inconscient et sans considération ? Moi ?

Daniel était outré.

— Et ce n'est pas la peine d'en faire un drame. Je n'ai absolument pas le temps d'écouter.

Elle se tourna vers les enfants.

— A présent rassemblez vos affaires. Nous sommes pressés.

Elle sortit une enveloppe de son sac à main. Il faut que je dépose ça au bureau du journal, sur le chemin du retour.

— Est-ce que c'est l'annonce pour la femme de ménage ? demanda Lydia à sa mère.

C'était la première fois que l'un des enfants ouvrait la bouche depuis son arrivée. Cette phrase était destinée à Daniel, et il le savait. Il était censé lui tenir tête à présent.

Incapable de trouver autre chose à dire, il demanda :

– Je peux la lire ?

Miranda eut l'air surprise.

– Si tu veux.

Elle lui tendit l'annonce. Elle était écrite sur un coupon de journal, en forme de grille. A l'intérieur des petits rectangles blancs, au-dessus du numéro de carte bancaire à débiter, Miranda avait inscrit :

CHERCHE PERSONNE DE CONFIANCE NON FUMEUR POUR MÉNAGE ET GARDE ENFANTS TS LES JRS APRÈS ÉCOLE AUTRES HEURES NÉGOCIABLES TÉL. : 43184 POUR RENDEZ-VOUS.

Avant qu'il ait pu finir de la lire, Christopher la lui avait arrachée, et Natalie suppliait qu'on lui dise le contenu. Daniel lut la fin de l'annonce par-dessus l'épaule de son fils. Il réalisa alors que Christopher s'était tourné et le regardait d'un air suppliant, qui évoquait les illustrations les plus angoissantes des Meilleures Histoires de la Bible en couleurs de Natalie. Lydia, de son côté, lui adressait un regard que l'on pouvait considérer comme empreint de cynisme, et cela le perturbait.

Il était facile d'interpréter le visage de Natalie. Il était débordant d'espoir. Sa petite dernière, au moins, comptait sur lui.

Il ne put se résoudre à l'abandonner. Il rassembla tout le courage qui lui restait.

— Miranda ! commença-t-il, assez bravement. Au sujet de cette annonce. Tu n'as pas besoin de te créer tous ces problèmes et ces dépenses qu'entraîne l'emploi d'une femme de ménage ou d'une gouvernante. Pourquoi les enfants ne s'arrêteraient-ils pas tout simplement ici après l'école, et tu pourrais venir les chercher à ton retour du travail.

Miranda écoutait à peine. Elle tentait de faire entrer dans son sac à main le gros sac de graines pour oiseaux.

— Je ne le pense pas, merci Daniel, dit-elle.

Au bout d'un moment, elle ajouta d'une voix indifférente :

— Mais c'est gentil à toi de le proposer.

— Je ne propose pas, expliqua aimablement Daniel. Je demande.

— Tu demandes ?

Le ton était glacial. Les yeux de Miranda s'étaient soudain transformés en petites boules de neige, froides et dures. Dans la pièce, la température semblait avoir chuté de plusieurs degrés.

— Tu demandes ? répéta-t-elle durement.

Il tenta de dire : « j'exige » ou même : « j'insiste ». Il tenta de toutes ses forces. Mais bien qu'il pût sentir sur lui le regard se ses enfants aussi bien que celui de Miranda, il ne réussit pas. C'était, songea-t-il dans son désespoir, un peu comme s'il avait le héros d'un de ces livres de poche bon marché que Christopher lisait assidûment, où il vous faut inlassablement faire des choix pour bâtir votre propre histoire.

« Vous vous trouvez seul, face à la méchante sorcière. Les pacifiques petits villageois vous ont supplié de l'affronter en leur nom. Cela fait des années qu'ils subissent sa terreur, et ils vous regardent, massés en petits groupes. Mais la sorcière vous transperce de son regard d'acier.

— Tu demandes ? dit-elle.

A : Vous lui répondez d'une voix vibrante : "Non. J'exige ! Et je n'admettrai aucune discussion !" et vous vous rendez à la page 94, où la sorcière s'effondre, vaincue.

ou B : Vous répondrez d'une voix faible : "Et bien, en fait j'espérais, plutôt..." et vous vous rendez à la page 104, où tous les petits villageois baissent le front en signe de honte pour votre comportement pusillanime. »

— Eh bien, en fait j'espérais, plutôt...

Miranda fit claquer le fermoir de son sac, si brutalement que l'excédent de nourriture pour oiseaux s'échappa en petits jets, qui firent des ricochets contre le mur.

– J'y songerai, dit-elle sur un ton signifiant qu'il était clair comme du cristal qu'elle ne le ferait pas.

Une fois de plus, Daniel ressentit cette sensation d'échec, ce dégoût de lui-même, et ce désespoir qui s'étaient abattus sur lui le matin où il avait quitté la maison pour de bon, lorsqu'il avait commis l'erreur de se retourner à la porte du jardin pour voir trois visages figés de tristesse, qui le regardaient d'une fenêtre à l'étage. Ces trois mêmes visages le regardaient à présent. La déception qu'ils montraient était intense. Une larme scintillante descendit lentement le long de la joue de Christopher, et vint s'écraser sur le coupon du journal, noyant le numéro de téléphone.

Christopher ne pleurait que rarement, et c'était la seconde fois cet après-midi que Daniel voyait des larmes sur ses joues. Daniel se sentit horriblement mal. Il se détourna, et ses yeux tombèrent alors sur une de ces lettres qu'il écrivait, plein d'espoir, aux agences de casting qu'il connaissait, énumérant les rôles qu'il avait interprétés sur scène avec succès, et se renseignant sur les nouvelles pièces qui se montaient.

Soudain, il lui vint une idée – une idée brillante, d'une audace inouïe.

– Tiens, dit-il avec empressement, tout en attrapant le coupon, je vais t'enlever cette tache.

Leur tournant le dos à tous, il aplatit le coupon sur la table.

– Je vais la cacher avec du fluide correcteur, dit-il.

Il saisit la petite bouteille blanche. Il en dévissa le bouchon, et donna un petit coup de pinceau sur le coupon.

– Là, c'est mieux. Et c'est déjà sec. Maintenant je vais simplement remettre ton numéro de téléphone, d'accord ? Quatre-trois-un-huit-quatre, épela-t-il, clairement et soigneusement, tandis qu'il écrivait dans l'espace blanc de la grille, tout aussi clairement et soigneusement : Six-six-sept-un-six, son propre numéro.

– Là, dit-il triomphant. C'est beaucoup mieux.

Avant que quelqu'un ait pu l'en empêcher, il avait glissé le coupon dans son enveloppe, léché le bord, l'avait refermé, et avait passé son pouce dessus pour le sceller.

Natalie laissa échapper un petit cri de désappointement. Lécher le bord des enveloppes était un travail dont elle avait l'exclusivité.

— Oh, désolé, Natty, s'excusa Daniel. Ce n'est pas dans mes habitudes de t'oublier.

Il se tourna vers son ex-femme.

— Un timbre, Miranda ?

— Non, merci.

Miranda secoua la tête.

— Christopher peut descendre de voiture et la déposer dans la boîte à lettres du journal quand nous passerons devant.

— En-ten-du ! dit gaiement Daniel, en tapotant l'épaule de son fils.

Déçu et furieux, Christopher fit un pas de côté pour l'éviter, et lui lança un regard lourd de reproche. « *Traître* » disait clairement l'expression de son visage. Puis il se tourna vers sa mère, résolu à obtenir lui-même un meilleur résultat.

— Maman ! fit-il avec humeur. Pourquoi est-ce que tu es venue nous chercher si tôt, aujourd'hui ?

— Si tôt ? Miranda jeta un œil à la pendule. Je ne vois pas de quoi tu parles, Christopher. Il est déjà 7 heures cinq. Et ramasse ton manteau par terre. Daniel, j'aimerais que tu leur dises de ne pas laisser traîner leurs vêtements comme ça. Les manteaux coûtent cher, tu sais.

Elle se dirigea vers la porte.

— Tu veux bien que nous t'empruntions la

cage, n'est-ce pas ? Juste pour emporter la caille à la maison.

— La caille *est* à la maison, murmura Christopher avec toute l'insolence de la révolte non assouvie.

Miranda l'ignora. Alors Christopher lui tourna le dos, et prit son ornement de tombe, sur la table.

— Laisse ici cet horrible tas de copeaux et de colle, veux-tu, chéri ?

Son regard fit le tour de la pièce.

— Je crois que c'est tout. Eh bien, au revoir Daniel. Les enfants te verront samedi matin. Je ne peux pas te dire quand exactement, mais dès que nous aurons fini nos courses.

Daniel tendit les bras à chacun de ses enfants comme ils défilaient devant lui. Le baiser de Christopher fut une pure formalité. Lydia se servit de la cage comme d'un bouclier pour se protéger de son père. Même s'il le lui pardonna, le baiser de Natalie fut bref.

Daniel hocha froidement la tête à l'adresse de Miranda, tandis qu'elle faisait sortir les enfants, un par un.

Il attendit pour bouger qu'ils aient quitté l'appartement, fermant la porte derrière eux. Il se précipita alors dans le couloir et rouvrit la porte d'entrée afin d'entendre leurs pas, dont l'écho s'éloignait dans les hauts murs de la cage d'escalier. Les claquements de talons faiblirent. Daniel inspecta sa serrure. La partie qui contenait le pêne était descellée. L'ensemble aurait besoin d'être dévissé, puis revissé.

Daniel plissa les yeux. Furtivement, il passa la main dans sa chemise et en extirpa une grenade imaginaire. Il en arracha la goupille imaginaire avec les dents, et attendit d'être tout à fait certain que ses enfants soient en sécurité de l'autre côté de la lourde porte d'entrée de l'immeuble, et la lança, de toute la force qu'il pouvait rassembler, dans l'escalier en direction de son ex-femme.

Puis, satisfait, il s'adossa son dos contre ce qui restait de sa porte. Un sourire de contentement illumina son visage, et pour la première fois de l'après-midi, il sembla en paix. Il écoutait l'explosion imaginaire.

IV

UNE ENTREVUE BIEN MENÉE PEUT FAIRE DES MERVEILLES

Miranda Hilliard s'attendait à recevoir beaucoup plus de quatre appels téléphoniques en réponse à son annonce dans *Chroniques et échos.* Mais elle n'avait pu y voir l'erreur d'impression. En fait, elle n'avait même pas vu l'annonce : mystérieusement, son journal du soir n'était pas posé comme d'habitude sur le pas de sa porte quand elle revint de son travail, et on ne put lui en vendre un autre, au kiosque du coin.

— Ça se passe toujours comme ça, lui assura le marchand, chaque fois qu'un de mes clients réguliers en veut exceptionnellement un deuxième exemplaire, un grand type maigre que je n'ai jamais vu avant se pointe et achète tout le lot.

Mais l'annonce devait avoir été correctement imprimée, puisqu'il y eut quatre réponses. La première arriva juste comme Miranda servait le repas du soir. La voix de l'interlocutrice était aiguë et rauque, comme si elle avait un problème de gorge. Elle semblait aussi extrêmement méfiante.

— Des enfants, vous avez dit. Des enfants après l'école...

— C'est exact, confirma Miranda. Trois enfants.

— Trois ? C'est beaucoup. De quelle sorte ?

— De quelle sorte ?

Déroutée, Miranda regarda ses enfants.

— Des garçons ou des filles ?

— Oh ! Deux filles et un garçon.

Il y eut un silence de plomb.

— Quelque chose ne va pas, demanda Miranda, un peu déconcertée.

La voix changea de teinte, se faisant à la fois humaine et plaintive.

— Oui. J'aime pas les filles. Désolée. Au revoir.

Il y eut un déclic. Miranda regarda le récepteur.

— Eh bien ! fit-elle, suffoquée. Bon débarras, nous ne vous aimons pas non plus.

Le deuxième appel eut également lieu pendant qu'ils dînaient. Pas de problème de gorge ici. La voix était riche, et mielleuse.

— Bonsoir ? je suis bien au 43184 ? L'annonce ?

— Oui, c'est bien ici, dit Miranda.

— Vous mentionnez des enfants à garder ?

— Oui, pas très longtemps. Après l'école.

— Ce sont des filles ?

— Oui, dit Miranda, en regardant Lydia et Natalie. Deux des trois. Et le troisième est un garçon.

— Oh, mon Dieu.

Le désappointement retentit dans la voix.

— Y a-t-il un problème ? demanda Miranda ?

— Oh, seigneur oui. Avec les garçons ça ne va pas. Vraiment pas. Je suis désolée.

La personne raccrocha. Miranda serra les dents.

— Pas moi, dit-elle au téléphone silencieux.

Le troisième appel n'arriva que quelques minutes plus tard.

Au moment de la tarte aux pommes.

— Hallô ?

— Allô ?

Les enfants de Miranda remarquèrent que sa voix se faisait circonspecte.

— Hallô. J'appelle au sujet de l'annonce. (Cette voix était douce et onctueuse et elle était étrangère.) Khombien d'enfants ?

— Trois. Deux filles et un garçon.

— Khel âge ?

71

Miranda se mit à décliner leurs âges. Mais elle n'était pas encore arrivée à Natalie, que la femme avait raccroché.

— Trop grands, avait-elle dit. Je n'aime pas les grands. Je n'aime que les petits.

Miranda reposa le combiné d'un geste rageur.

— Pas de problème, cria-t-elle. Je ne vous aime pas non plus.

Le dernier appel arriva trois heures plus tard, alors que Miranda se demandait s'il restait encore de l'espoir. Le lait pour le chocolat du soir était en train de monter dans la casserole quand la sonnerie retentit. Miranda bondit d'abord à la rescousse du lait, puis sur le téléphone qui, magnanime, sonnait toujours.

La voix au bout du fil était chaude et engageante, bien que légèrement étouffée, comme si la personne venait juste de s'essuyer le nez, et n'avait pas baissé son mouchoir avant de parler.

— Je me suis occupée des mêmes enfants pendant des années et des années, jusqu'à présent. Mais les enfants grandissent ; n'est-ce pas ? Et j'ai maintenant suffisamment de temps pour songer à prendre votre petite couvée les après-midi.

Miranda dit, sans grand optimisme :

— J'ai bien peur qu'il n'y ait deux filles...

L'interlocutrice répondit d'une voix encourageante.

— Merveilleux, mon petit. Les filles sont comme des pierres précieuses.

Mais Miranda s'excusa de nouveau.

— Il y a aussi un garçon...

— Un garçon ! Sans l'avoir vu, je suis persuadée que c'est un bon petit.

Miranda avait peine à croire que sa chance était en train de tourner. Elle s'embarqua donc dans l'énumération de leurs âges... Pour se trouver aussitôt interrompue.

— Tous les âges ont leur charme, c'est ce que je dis toujours.

— Un tout petit peu de cuisine...

— Oh, Seigneur.

Il y eut un silence — pendant lequel Miranda pouvait entendre son cœur battre. Puis l'interlocutrice s'expliqua d'une voix anxieuse :

— Je me dois de vous avertir sur ce point, mon petit. Je ne leur donnerai que de la vraie, de la bonne nourriture. Encas ou repas, cela m'est égal. Mais ce que je dois leur donner ce sont des aliments nutritifs, pas des cochonneries. Je refuse toutes ces nouvelles choses malsaines en sachet. Je serai intraitable là-dessus, mon enfant, peu importe si les petits choux me cassent les oreilles. D'ailleurs je puis vous dire que je n'ai eu que très peu de problèmes jusqu'à présent. Ils ont toujours fini par comprendre que ce devait être soit de la bonne nourriture, soit des petits ventres vides.

Miranda ouvrit de grands yeux. Cette perle existait-elle vraiment ?

— Non-fumeur... murmura-t-elle d'une voix hésitante.

— Une bien mauvaise habitude. Cela donne une odeur aux rideaux.

— De confiance...

— Durant des années, je n'ai pas manqué un seul jour, mon chou, clama fièrement la voix.

— Une entrevue, peut-être ?

— Certainement, mon petit. Mais je suis sûre que vous êtes très occupée toute la journée au bureau. Si nous disions demain soir, à 19 h 30 ? Cela vous convient-il ? Votre nom, mon petit ? Et votre adresse ?

— Hilliard, dit faiblement Miranda. Dix, avenue Springer.

— Juste sur ma ligne de bus.

Miranda essaya de se pincer, pour voir si elle ne rêvait pas. Les deux dernières baby-sitters venaient, ou plus exactement ne venaient pas, avec des voitures qui étaient loin d'être fiables.

— C'est parfait, dit-elle. Nous sommes tous impatients de faire votre connaissance. Elle hésita. Vous êtes Madame ?

— Mademoiselle, mon petit. Mlle Doubtfire.

Miranda ne put masquer son étonnement :

— Mlle Doubtfire ?

— C'est cela, mon petit. Mlle Doubtfire. C'est cela même.

— Mlle Doubtfire, répéta Miranda. Mais son interlocutrice avait raccroché.

Miranda raccrocha à son tour, avec une certaine réticence, comme si elle craignait que le miracle ne s'achève en même temps que l'appel.

— Demain à 19 h 30, répéta-t-elle doucement. Mlle Doubtfire. Parfait.

Et parfaite, elle semblait vraiment l'être. Natalie fut la première à faire sa connaissance. Elle était sur le point d'aller se coucher, et trottinait silencieusement dans son pyjama pékiné, en direction de l'escalier. En passant devant l'entrée, elle entendit un léger coup frappé à la porte. Elle se mit sur la pointe des pieds et souleva le loquet. Une imposante apparition la dominait sur le pas de la porte. Elle portait un manteau très large, rose saumon, d'où dépassait une ample jupe aux motifs audacieux, laquelle laissait entrevoir l'extrémité de bottes en caoutchouc vert sombre. Sa tête était enveloppée d'un turban bombé maintenu en place par une multitude d'épingles de sûreté, — et — une broche scintillante, couleur turquoise. Une écharpe de plumes ondoyait autour de son cou, et elle tenait sous son bras un énorme sac en imitation crocodile.

— Tu dois être la petite Natalie.

Natalie fit oui de la tête, sans quitter l'apparition des yeux.

— Je suis Mlle Doubtfire, ma chérie.

Natalie acquiesça de nouveau, les yeux écarquillés. Sous l'imposant turban à fleurs, les paupières étaient fardées de mauve, les joues teintées d'un rose peu naturel, les lèvres peintes d'un rouge éclatant.

— C'est l'heure d'aller au lit, d'accord ?

Toujours muette, Natalie fit oui une troisième fois.

Une énorme main sortit des plis amples du manteau, et prit la sienne. L'apparition fit un pas à l'intérieur. Natalie recula d'un pas. Une large botte en caoutchouc vert se souleva et fit délicatement claquer la porte.

— Allons-y, maintenant.

Dans le tournant étroit de l'escalier, Natalie dut lâcher la main de l'apparition pour passer devant. Arrivée à la dernière marche, elle sentit une petite tape familière sur son derrière.

— Tu t'es brossé les dents, mon petit chou ?

Natalie secoua la tête.

— Alors, à la salle de bains d'abord.

Natalie trottina docilement jusqu'à la salle de bains. Tandis qu'elle sortait sa brosse de son support en forme de hérisson, y pressait le tube de dentifrice, et se brossait les dents, en prenant soin d'« éviter » celles qui branlaient, l'apparition s'assit sur le bord de la baignoire, et commença à s'inquiéter de l'état des plantes contre la fenêtre.

— Je n'aime pas l'allure de ces œillets. Ils ont été beaucoup trop arrosés. Il faudra que j'en parle à ta mère demain. Fais-m'y penser, surtout, ma petite Natalie. Les œillets ont tout simplement horreur d'avoir les pieds mouillés.

Par-dessus son frénétique brossage, Natalie scruta les œillets pour y déceler des signes de misère, tandis que l'apparition se concentrait sur les plantes grimpantes.

— Ce philodendron a besoin d'être soigneusement nourri. Regarde un peu ça, mon petit canard en dentifrice. Oh, je crois que je vais avoir du pain sur la planche, dans cette maison.

Natalie confia à travers sa bouchée de mousse rose :

— Dans la cuisine, il y a des plantes avec plein de feuilles mortes. Ça énerve beaucoup maman. Elle n'arrive pas à comprendre pourquoi.

— Peut-être qu'elles n'aiment pas l'atmosphère.

Natalie prit tout son temps pour rincer et sécher sa brosse à dents. Elle observait le visage qui se reflétait dans la glace au-dessus du lavabo. Les yeux barbouillés de couleur rencontrèrent les siens.

— Prête à aller au lit ?

Natalie acquiesça.

— Pipi, alors.

La porte se referma, la laissant seule. Natalie baissa son pantalon de pyjama et s'assit sur le siège des toilettes, songeuse. Elle avança un doigt expérimental pour tâter le pot d'œillets. La terre était détrempée.

— Pauvres œillets, qui ont horreur d'avoir les pieds mouillés, dit-elle.

Et tandis qu'elle se rinçait les mains, elle fit très attention à ne pas éclabousser les plantes sur le bord de la fenêtre. Lorsqu'elle entra dans sa chambre, son lit était ouvert, et ses livres de bibliothèque étaient disposés sur son oreiller de manière engageante. Natalie les ignora. Elle se mit à genoux devant ses étagères, et sortit de la rangée du bas un illustré en piteux état, qu'elle n'avait pas touché depuis plus de deux ans : *La rivière de l'autre côté du miroir.*

Le livre fut lu de la première à la dernière page, pas une phrase ne fut sautée, il n'y eut ni question idiote, ni interruption. Juste les mêmes vieilles images magiques, et les mots exactement tels qu'elle se les rappelait.

Puis la lampe de chevet fut éteinte, et la pièce se trouva dans le noir. Un rai de lumière s'échappait de la porte entr'ouverte, projetant une ligne blanche sur le mur opposé.

— Bonne nuit. Dors bien.

Natalie tendit les bras et en encercla le cou de l'apparition, l'approchant plus près.

— Bonne nuit, papa.

Il fallut quelques instants à l'apparition pour recouvrer sa sérénité. Puis, elle déclara, l'air sévère :

— Tu ne diras pas un mot, demain, c'est entendu, Natalie ?

Mais Natalie, à moitié endormie, bâillait à se décrocher la mâchoire.

— Non, papa.

L'apparition arracha son turban d'un geste nerveux.

— Et ne m'appelle pas comme ça. Je suis Mlle Doubtfire !

— Oui, papa.

— Mlle Doubtfire !

— Oui, mademoiselle Doubtfire.

— Là, c'est mieux.

Il se pencha de nouveau pour l'embrasser. Elle dormait déjà profondément.

— Elle dort ? Miranda était ébahie. Vous êtes certaine ?

— Tout à fait certaine, dit Mlle Doubtfire. Elle dort profondément.

— C'est extraordinaire ! dit Miranda.

Elle regarda cette femme si étrange, qui tentait de s'asseoir le plus élégamment possible à la table de la cuisine, en croisant ses bottes en caout-chouc, et se dit qu'elle devait vérifier — au cas où. Non que Mlle Doubtfire eût l'apparence d'une meurtrière, d'une maniaque, d'un bourreau d'en-fants, ou de quoi que ce soit de ce genre. Simple-ment, il n'était pas dans les habitudes de Natalie de laisser entrer sans un mot un parfait étranger, ni de se laisser mettre au lit par quelqu'un qu'elle n'avait jamais rencontré auparavant. Miranda n'était pas vraiment inquiète, seulement Mlle Doubtfire était une personne totalement étran-gère, et si — comment dire — si… imposante. Et des trois enfants de Miranda, Natalie était la plus jeune, et si — comment dire — si … petite.

— Voudriez-vous m'excuser un instant ?

demanda Miranda. Je vais juste faire un saut au premier étage. Je le fais toujours.

— Mais je vous en prie, dit Mlle Doubtfire, très à l'aise, et invitant Miranda à se décontracter elle aussi. Moi non plus, je ne me sentais pas tranquille, tant que je n'étais pas certaine que les miens étaient bien bordés et que le marchand de sable était passé.

Miranda disparut dans l'escalier, et Daniel en profita pour dire un rapide bonjour à Hetty, qui grattait avec satisfaction les recoins fraîchement nettoyés de sa cage, et pour se livrer à une petite inspection de la cuisine.

Dans l'ensemble, les choses étaient exactement comme il se les rappelait. Le même revêtement de sol qu'ils avaient choisi et posé ensemble – même s'il était un peu usé, et si certains carreaux se soulevaient par endroits ; le même store au-dessus de l'évier – même si le motif fleuri avait visiblement perdu ses couleurs ; les mêmes meubles à tiroirs gris.

Il nota que Miranda conservait toujours une grande partie de ses provisions dans de grands bocaux en verre, une manie qui le rendait généralement fou. Il se rappela avec une intensité frappante les vagues de colère qui le submergeaient les jours de marché, face à l'intermi-

nable nettoyage des miettes, au fastidieux essuyage des empreintes de doigts sur le verre, au problème insoluble que représentaient les douze grammes de sucre, de riz, ou de haricots secs qui avaient refusé d'entrer à l'intérieur des bocaux. Ce qui le rendait le plus furieux, se souvenait-il, était de ne jamais être capable de juger de ce qu'il restait exactement dans le bocal. Un paquet d'un kilo de sucre à moitié plein signifie clairement qu'il vous reste environ une livre de sucre. Un fond de cassonade agglomérée contre les parois d'un bocal, c'est un mystère.

Mais il y avait aussi des changements. Les murs étaient fraîchement repeints d'un bleu plus pâle. Les torchons à vaisselle étaient différents. La porte du fond avait un plus gros verrou. Daniel remarqua qu'il y avait beaucoup moins de plantes à présent, et plusieurs d'entre elles semblaient à l'article de la mort. Elle avait enlevé le grille-pain de sur le réfrigérateur pour le remplacer par une grande photo encadrée d'elle-même à l'entrée du parc de Greenham. Derrière elle, un cheval monté par un policier semblait mâchonner les extrémités de son écharpe soulevées par le vent ; mais Daniel supposa qu'il s'agissait d'un trompe-l'œil, et non d'un cheval de la Thames Valley mal entraîné.

Il remarqua aussi, non sans humeur, que Miranda s'était empressée d'acquérir un nouveau lave-vaisselle automatique.

Il s'irrita de ce qu'elle ait eu le culot de le réprimander – lui qui était alors sans emploi – pour s'être acquitté de ses charges avec quelques jours de retard, alors que visiblement, pendant tout ce temps, elle avait été assez à l'aise financièrement pour aller faire les magasins et s'offrir le plus luxueux des appreils ménagers. Son propre appartement ne pouvait même pas revendiquer une machine à laver le linge, et l'on rencontrait, fréquemment Daniel à la laverie automatique au coin de la rue, en train de s'apitoyer sur son triste sort, tout en regardant déteindre ses chaussettes dans les remous du tambour, et déchiffrant sans les comprendre les multiples annonces en Gujarati épinglées sur le mur.

Il était toujours de fort mauvaise humeur lorsqu'elle revint. Il dut fournir un effort considérable pour effacer de son visage son air renfrogné, et se retourner pour l'accueillir.

– Le petit chou s'est bien endormi ?

– Oui, elle dort déjà, concéda Miranda.

Tout en versant le café, elle examina discrètement cette candidate des plus inhabituelles. C'était une femme de carrure imposante, plus grande que Miranda elle-même, munie d'une puissante ossature. Ses traits épais étaient à peine améliorés par une épaisse tartine de fond de teint, et de généreuses couches de couleur. De ses cheveux, Miranda n'apercevait que quelques mèches folles brunes, qui s'échappaient de l'extraordinaire turban. Si ses ongles étaient impeccablement vernis, ses mains étaient rêches et plutôt calleuses. Ses pieds étaient énormes. Miranda évalua à du 43, au minimum, la pointure des bottes en caoutchouc. Logiquement, la seule vue de cette femme terroriserait n'importe quel enfant.

Et pourtant... Et pourtant...

Il émanait d'elle quelque chose de formidablement rassurant. Elle était assise à la table, telle une forteresse, exhalant une puissante odeur d'eau de lavande, et solide, inébranlable, imperturbable.

— Quelle charmante façon de conserver les aliments, disait-elle de sa voix chaude et apaisante. J'ai toujours pensé que cela valait bien le petit surcroît de travail.

— Ce n'était pas l'avis de mon mari, se rappela Miranda. Il avait une véritable haine pour ces bocaux. Il disait que c'était une perte de temps.

— Il en versait tout le temps à côté, c'est cela ?

Faisait de petites saletés partout sur la table ? Ne savait jamais combien de haricots il pouvait faire tenir ? Ni où ranger le reste ?

Miranda sourit, et se sentit détendue. Cela avait été une longue journée au Palais du Luminaire, et elle avait été plus que légèrement surprise de se trouver nez à nez avec cette géante en train de descendre ses propres escaliers. Mais Mlle Doubtfire semblait être une dame si gentille et compréhensive. Et Natalie s'était endormie comme un ange, sans engager aucune des éternelles batailles du coucher, comme de refuser de se brosser les dents à cause de celles qui bougent ou réclamer encore une histoire, sans chercher à gagner du temps, sans faire de drame. Si seulement cela pouvait être aussi facile chaque soir. Mais Natalie n'était que l'une des trois. Que penseraient les autres de Mlle Doubtfire ?

— Vous êtes séparés mon petit, votre mari et vous ?

— Divorcés.

— Oh, je suis désolée. Le mariage peut être une grande bénédiction.

— Et le divorce une plus grande, encore, répondit Miranda.

Mlle Doubtfire la regarda, choquée. Miranda ajouta pour se défendre :

— Mon mari était un homme très difficile à vivre.

— Il vous battait, c'est cela ? suggéra Mlle Doubtfire. Vous bousculait, vous laissait sans argent, faisait peur aux petits, ce genre de choses ?

— Oh non, dit Miranda Rien de tout cela. Les enfants l'adorent. Et lorsqu'il parvient à gagner un peu d'argent, ce qui est assez rare, il n'est pas méchant.

Il y eut un silence. Puis, Mlle Doubtfire dit :

— Si vous voulez bien me permettre, mon petit, votre ex-mari semble avoir toutes les qualités d'un bon parti.

Miranda eut un petit rire.

— C'est exactement cela, approuva-t-elle. C'est lorsqu'il est parti que je l'ai apprécié.

A ces mots, Mlle Doubtfire commença à rassembler autour d'elle les plis de son manteau rose saumon.

— Eh bien mon petit, dit-elle avec regret, il se fait tard et il me faut songer à...

Comme par réflexe, Miranda tendit le bras et posa sa main sur la large manche, pour empêcher Mlle Doubtfire de se lever.

— Oh s'il vous plaît, ne partez pas. Restez, je vous en prie, pour faire la connaissance de mes deux autres enfants. Et à ce moment-là, s'ils vous plaisent...

Mlle Doubtfire regardait fixement la main posée sur son bras, comme si elle venait d'un autre monde. Miranda s'apprêtait à la retirer quand de grands doigts d'ours vinrent se poser sur les siens, et les tapota gentiment.

— Vous voudriez que j'accepte la place ?

— Oui. Oui, vraiment. Vous semblez absolument parfaite.

Leurs yeux se rencontrèrent un très court instant. Troublée, Miranda détourna son regard. A son grand soulagement, des ombres se profilèrent contre le verre dépoli de la porte d'entrée, et elle entendit des rires et des bruits de chahut. Elle saisit l'occasion pour se lever et aller ouvrir le réfrigérateur.

— Ils reviennent juste de la piscine. Et ils auront faim.

Comme la porte s'ouvrait, Mlle Doubtfire ramena ses jambes sous la table, d'un geste délicat, et pivota pour accueillir les nouveaux arrivants.

Lydia entra la première. Mlle Doubtfire se redressa nerveusement, et tapota son turban.

— Bonsoir, ma chérie. Je suis Mlle Doubtfire. Je viens pour entretenir la maison pour ta maman. J'espère que nous allons bien nous entendre.

Lydia la regarda fixement, et se poussa pour faire de la place à son frère, qui la fixa à son tour tandis qu'elle répétait sa brève présentation... Pendant ce temps, Miranda mal à l'aise, fouillait dans le réfrigérateur.

Il y eut un silence. Puis brusquement, Christopher prit un air menaçant et jeta le paquet mouillé de ses affaires de piscine par terre.

— Oh, *non ! maman !* Ce n'est pas *juste !*

Miranda se raidit. Dans sa colère, Christopher donna un coup de pied dans le tas de serviettes détrempées, qui traversa la cuisine pour atterrir avec un floc derrière les talons de Miranda.

— Pourquoi est-ce que nous devons avoir une gouvernante, de toute façon, maman. La maison n'en a pas besoin et nous non plus ! Et si tu veux quelqu'un pour nous garder, pourquoi est-ce que papa ne peut pas le faire ?

— Ton père ? cria Miranda. Ne me reparle pas encore de vous faire garder par votre père ! Votre père est...

Ce fut tout ce qu'elle réussit à dire. Mlle Doubtfire et son majestueux turban s'étaient levés, et une large main imposa le silence. Elle se tourna vers Christopher et lui demanda gravement :

— Jeune homme, est-ce ainsi que tu as l'habitude de t'adresser à ta mère ?

Christopher rougit violemment. Lydia resta bouche bée. Miranda était si surprise qu'elle faillit laisser tomber les œufs qu'elle tenait à la main.

Mlle Doubtfire poursuivit, l'air désolé.

— Ce n'est pas du tout ce que j'aurais attendu de toi. Voilà ta pauvre mère, éreintée par une longue et dure journée de travail afin de gagner l'argent nécessaire pour cette séance de piscine dont tu viens de profiter, et qui se fatigue davantage encore pour préparer votre dîner. Et simplement parce qu'elle a cherché un arrangement raisonnable, afin que cette charmante, charmante maison soit bien entretenue, que quelqu'un s'occupe de vous le soir, et que vous ne manquiez de rien, tu te laisses aller à lui parler de manière désagréable devant une personne totalement étrangère.

Elle secoua la tête d'un air affligé, mettant en péril la stabilité de son turban.

— Oh non. Ce n'est pas du tout ce que j'aurais attendu de toi. Quel âge as-tu mon chéri ?

De mauvaise grâce, et d'une voix à peine audible, Christopher lui dit son âge.

Les sourcils peints de Mlle Doubtfire se dressèrent d'horreur.

— Juste ciel ! suffoqua-t-elle. Ce sont là des choses que tu devrais savoir, j'en suis certaine.

Christopher frottait ses chaussures l'une contre l'autre. Il était déterminé à ne pas abandonner.

— Mais ce n'est *pas juste*, insista-t-il. Je ne voulais pas être désagréable et je suis désolé si je l'ai été. Mais je ne vois toujours pas pourquoi Lydia, Natty et moi ne pouvons pas passer ces heures-là avec papa.

— Je suis convaincue que ta mère a ses raisons...

— Oui, dit Miranda avec chaleur. Certainement, oui. Je peux vous les dire, si vous voulez. Elle leva une main, s'apprêtant à énumérer sur ses doigts impeccablement manucurés, les raisons de sa décision.

— Premièrement, vous ne le croirez pas mais leur père...

Mlle Doubtfire toussa brusquement.

— Pardonnez-moi, mon petit. Mais vous avez certainement coutume d'inciter les enfants à sortir de la pièce, avant de vous abandonner à médire de leur père.

Miranda rit bruyamment.

— Si je faisais ça, je ne les verrais jamais !

— Je vois.

La voix était tendue, presque sèche.

Miranda réalisa soudain que par son franc-parler, elle risquait de gâcher imprudemment sa seule et unique chance d'engager cette personne, qui, si elle était un peu vieux jeu, n'en semblait pas moins un véritable trésor.

Elle s'empressa de se confondre en excuses.

— Vous avez absolument raison, et je suis tout à fait désolée. Je n'aurais jamais dû introduire leur père dans cette conversation.

— Mais tu ne l'as pas fait, dit Christopher hargneux. Tu as essayé de le tenir complètement à l'écart, comme d'habitude. Il chercha le soutien de sa sœur. N'est-ce pas, Lydia ?

Mais Lydia ne répondit pas. Elle fixait Mlle Doubtfire avec sur le visage un air étrange, presque exalté. Ses yeux brillaient et ses pieds battaient impatiemment le sol, comme si elle allait se mettre à danser.

Les sourcils noirs de Mlle Doubtfire lui lancèrent un sévère avertissement.

— Oooh !

Lydia semblait sur le point d'exploser. D'un geste nerveux, Mlle Doubtfire attrapa son sac en crocodile, et rassembla autour d'elle son large manteau comme si elle venait de se rappeler qu'il lui fallait partir. Mais juste à cet instant, toute l'inexplicable excitation contenue de Lydia se libéra pour se déverser sur son frère, avec vigueur.

— Christopher ! Ce que tu peux être *bête !*

Elle le saisit par la manche de sa veste et le poussa devant elle.

— Ne sois pas si *balourd,* à la fin !

Elle le tira désespérément.

— Allez ! Monte, vite ! Nous avons des tonnes de devoirs ! Il faut s'y mettre tout de suite ! Poussant et tirant de toutes ses forces, elle propulsa son frère récalcitrant à travers la pièce, puis le chassa vers la porte.

— J'ai été *très contente* de vous connaître, cria-t-elle à Mlle Doubtfire par-dessus son épaule. Je suis sûre que nous allons nous entendre *merveilleusement.* J'espère vraiment que vous allez accepter. Christopher sera très heureux, lui aussi, je vous le promets, dès qu'il sera habitué à l'*idée.* Je vais lui en parler. Je sais qu'il sera très content.

Sur ce, elle donna un vigoureux coup de pied dans les tibias de son frère pour lui faire passer la porte, et la referma derrière eux.

Miranda s'effondra sur sa chaise, et soupira avec un soulagement évident. Le soulagement de Mlle Doubtfire était encore plus grand, bien que moins démonstratif. Elle essuya subrepticement la sueur qui perlait à son front, et sembla un peu déconcertée de voir des taches jaunâtres apparaître sur ses doigts.

Mais Miranda ne remarqua rien. Elle était trop occupée à s'étirer voluptueusement, triomphalement.

— Eh bien, mademoiselle Doubtfire, dit-elle, souriante. Vous avez passé le test final avec brio.

Mlle Doubtfire tapota son turban d'un geste précieux.

— J'en suis tout à fait ravie, mon petit. Vraiment. (Elle fit une pause.) Ce sont des enfants pleins de fougue que vous avez là. Puis elle ajouta avec une légère circonspection : Ce ne sont absolument pas mes affaires, bien entendu, et arrêtez-moi tout de suite si je vous offense. Mais si vous me permettez de parler ainsi, votre gaillard de fils m'a tout l'air d'avoir grand besoin d'une main ferme.

Miranda sourit.

— Je suis tout à fait de votre avis, dit-elle à Mlle Doubtfire. Et je vous le confie.

V

SE TROUVER UN RÔLE
DANS LA VIE

Deux semaines plus tard, Mlle Doubtfire était appuyée contre le balustre du palier et se grattait une jambe velue tout en fumant un petit cigare à bouts coupés lorsque Lydia sortit de sa chambre, les bras chargés de bandes dessinées en lambeaux.

— Tu ne devrais pas fumer, bougonna Lydia en laissant tomber son chargement devant l'entrée de la chambre de Christopher. Tu auras les poumons tout noirs.

Mlle Doubtfire plissa les yeux et souffla un jet de fumée de côté, en direction des rideaux du palier. Elle détacha le bout de cigare fumant collé à ses lèvres, pour cracher un petit morceau de tabac récalcitrant.

— Écoute mon bébé en sucre, dit-elle. Quand j'étais jeune, au bon vieux temps, avant que je n'épouse ta mère, je buvais mon whisky en paix et je fumais mes sèches tranquille. Cette époque bénie est très loin à présent. Mais si éventuellement, dans cette épuisante période qu'est ma maturité, j'ai l'occasion de descendre un demi ou de me fumer un petit cigare, je te serais reconnaissant de ne pas être sur mon dos.

Elle aspira une nouvelle longue bouffée de son cigare.

— Active un peu pour le rangement, ma poupée. Si ces chambres ne sont pas hyperbien rangées pour le retour de ta mère, ton humble servante pourrait être flanquée à la porte.

Lydia s'activa un peu. Christopher sortit de sa chambre pour vider sa corbeille à papiers débordante et soupira en voyant le nouveau tas de ses possessions qu'avait déposé sa sœur.

— Je ne vois pas pourquoi c'est toujours à nous de mettre de l'ordre, grommela-t-il. C'est toi qui es payé.

— Cela va en totalité à votre satanée pension alimentaire.

Mlle Doubtfire replaça le bout de cigare dans sa bouche et leva les bras pour réinstaller plus sûrement son turban sur sa tête.

— De toute façon, je ne suis pas doué pour m'occuper d'un intérieur, vous le savez. C'est l'une des raisons pour laquelle votre mère a voulu divorcer.

Elle retroussa plus haut sa jupe, découvrant un

morceau de cuisse musclée et s'assit sur le large appui de fenêtre, entre deux pots d'azalées de printemps.

— Le jardin, ça, c'est autre chose...

Elle regarda dehors. Les sourcils lissés et soigneusement épilés se froncèrent douloureusement lorsqu'elle aperçut en bas les misérables rangées alignées de brocolis et de choux rouges.

— J'aurais dû avoir chaulé ce carré de légumes depuis longtemps...

Pendant que Lydia et Christopher continuaient à entrer et sortir de leurs chambres en courant, à se retourner l'un à l'autre leurs livres de bibliothèque et leurs stylos, à vider des verres d'eau dans le lavabo de la salle de bains, à remplir de vêtements chiffonnés les deux paniers à linge en osier assortis, de chaque côté de l'armoire chauffante, Mlle Doubtfire s'était appuyée contre la fenêtre et regardait, l'air morose dans le jardin des voisins.

— Cette Mme Hooper a encore laissé la porte de sa remise grande ouverte. La pluie va entrer et faire rouiller ses outils. (Elle se retourna brusquement, l'air outré.) Savez-vous ce que cette misérable femme a fait pendant que vous étiez tous deux à l'école aujourd'hui ?

— Non, dit Christopher, qui passait avec la

radio de Lydia dans les bras. Qu'est-ce que cette misérable femme a fait pendant que nous étions à l'école ?

Mlle Doubtfire agrippa son turban.

— Elle a tout simplement arraché un cognassier du Japon qui était absolument splendide – elle l'a déterré, dans une frénésie de vandalisme arboricole. Voilà ce qu'elle a fait !

— Elle avait peut-être besoin de la place pour quelque chose d'autre, suggéra Lydia. Pourrais-tu pousser tes genoux afin que que je puisse passer avec l'aspirateur ?

Mlle Doubtfire souleva obligeamment ses jupes et ramena vers elle deux énormes genoux poilus.

— Elle en serait bien capable, dit-elle. (Elle avança la bouche en une moue dédaigneuse... et se brûla la lèvre à l'extrémité de son cigare.) De le remplacer par une rose de supermarché, bien voyante. J'en suis convaincue. (Elle soupira, exhalant des nuages de fumée bleue.) Je ne comprendrai jamais comment cette femme a le culot de se montrer chaque semaine au cours d'art. Tout ce que je peux déduire des gribouillis qu'elle tire de mon physique parfait, c'est qu'elle n'a pas plus de sens esthétique qu'une brosse à nettoyer les toilettes et pas plus de sensibilité qu'un pavé. Elle m'a fait huit fois ! Huit fois !

Assis, couché, debout dans toutes sortes de positions. Elle m'a fait draper dans la mousseline, sous des spots de couleur. Elle m'a fait à la craie, au fusain, au crayon, à l'huile, à l'aquarelle, au pastel et même, la semaine dernière, Dieu nous garde, en argile. Ces huit fois, voilà à peu près comment je suis apparu : avec une tête d'épingle, bossu, bancal, avec un strabisme, le cou tordu, avec des bras de singe, la poitrine comme une barrique et pour porter le coup de grâce à mon amour-propre, comme un petit morceau de son argile s'est détaché la semaine dernière, émasculé. (Mlle Doubtfire fit une grimace menaçante.) Elle ne mérite absolument pas de me dessiner. Elle est imperméable à la beauté naturelle.

— Je ne sais pas, dit d'un air songeur Christopher qui passait par là. Elle a l'air de bien m'aimer...

— Tu te trompes sur toute la ligne, dit Mlle Doubtfire, avec aigreur.

Ayant remarqué l'extrémité obstruée de son cigare, elle ouvrit la fenêtre derrière elle et d'une pichenette, fit tomber la cendre en direction du cytise de Mme Hooper.

— Mon Dieu ! s'écria-t-elle, manquant de perdre l'équilibre, elle est en train de repiquer ses dahlias maintenant !

— C'est son jardin, fit remarquer Lydia. Pourquoi est-ce qu'elle n'y repiquerait pas des dalhias ?

— En mars ? Tu es folle ?

Maintenant le turban d'une main ferme et cachant de l'autre son cigare fumant derrière l'appui de fenêtre, Mlle Doubtfire se pencha dans l'encadrement.

— Chère amie, roucoula-t-elle par-dessus la pelouse. Je me dois de vous mettre en garde ! Repiquez-les maintenant, et vos jolis dalhias seront massacrés par le gel !

Elle rentra sa tête enturbannée et referma la fenêtre.

— C'est incroyable ! Il faut qu'on le lui dise absolument chaque année. J'ai bien dû l'avertir une demi-douzaine de fois lorsque j'étais votre père. (Elle poussa un énorme soupir.) Je vais vous dire le problème qu'a cette Mme Hooper : elle n'est pas capable de suivre un conseil. Il va falloir que je descende pour la faire arrêter. Enfin, de toute façon, il fallait que je lui parle de l'enroulement de ses feuilles.

Christopher cessa un instant de se battre avec le duvet qu'il essayait d'extirper de sa housse. Il détestait que son père « emmène Mlle Doubtfire dans le jardin » — c'était l'expression qui lui venait alors à l'esprit. Il craignait que tout ne soit découvert avec les terribles conséquences que cela entraînerait lorsque sa mère l'apprendrait, et elle l'apprendrait automatiquement.

— Ne descends pas au jardin, tu vas encore y rester des heures. On meurt de faim. On ne pourrait pas dîner ?

Mlle Doubtfire donna un coup à la porte de la salle de bains pour l'ouvrir, et laissa tomber son mégot dans la cuvette des toilettes.

— Écoute, dit-elle. Je suis là pour vous lorsque vous revenez de l'école, je vérifie vos équations, je lave vos culottes. Tu ne t'attends tout de même pas à ce que je fasse aussi les courses et la cuisine.

Christopher était scandalisé.

— Tu n'as *même pas* fait les courses ?

Mlle Doubtfire noya son absence de réponse positive à cette question, en tirant la chasse d'eau.

— Il n'y a *rien* à manger ? insista Christopher.

Le mégot de cigare tournoya gaiement dans la cuvette, qui se vida puis se remplit à nouveau. Le mégot était resté à la surface et décrivait tranquillement de petits cercles.

— *Rien du tout ?*

Mlle Doubtfire haussa les épaules.

— On peut toujours faire de la caille...

— De la *caille* ? Christopher était horrifié. Tu veux dire, *Hetty* ?

Mlle Doubtfire inspectait ses ongles.

– Hetty est une caille… dit-elle. C'est très nourrissant, la caille…

Lydia apparut à la porte de sa chambre, visiblement aussi interloquée que son frère.

– Est-ce que tu parles de faire cuire Hetty ?

– Pourquoi pas ? (Mlle Doubtfire polit délicatement son vernis Rose-Orchidée.) J'ai lu une recette qui avait l'air plutôt appétissante très récemment. Caille et artichaut en salade. (Les sourcils luisants se froncèrent.) Il y a seulement un petit problème. L'un des ingrédients était des baies de genévrier. Je ne pense pas qu'aucun de vous soit disposé à grimper par-dessus la clôture et à en faucher quelques-unes sur le genièvre nain de Mme Hooper ?

– Non ! cria Christopher.

– Non ! fit Lydia en écho.

Mlle Doubtfire se pencha au-dessus de la rampe d'escalier.

– Natalie ! chanta-t-elle. Monte vite mon ange. Mlle Doubtfire a besoin de ton aide.

– Oh non, tu n'en as pas besoin ! dit Christopher. Lydia n'a qu'à nous faire une salade de thon.

– Tu n'as qu'à la faire toi-même, rétorqua Lydia, irritée.

— Si *seulement* je pouvais me rappeler exactement les termes de cette recette, poursuivait Mlle Doubtfire. Voyons, que disait-elle ? "Garder les pattes et la carcasse pour la sauce. Faire sauter les rognures de caille dans de la graisse chaude..." A votre avis, mes enfants, qu'est-ce qu'ils entendent par rognures ?

Christopher s'empressa de capituler.

— Je vais faire la salade de thon.

Lydia proposa un compromis.

— Je vais me débrouiller pour faire un pudding.

Entièrement satisfaite de ces arrangements, Mlle Doubtfire rouvrit la fenêtre d'un geste peu délicat et jeta à Mme Hooper :

— Je vais vous dire ce qui pousse vraiment très bien cette année, ma chère...

Christopher enfouit le reste du désordre sous son lit, à l'abri des regards, tandis que Lydia claquait la porte du placard sur l'aspirateur. Quand elle eut achevé avec satisfaction son discours sur l'état de santé des choux de Bruxelles de Mme Hooper, Mlle Doubtfire referma la fenêtre, ne donnant qu'un gracieux geste de reine mère derrière la vitre, en réponse à sa voisine qui n'avait pas fini d'exprimer toute l'anxiété que lui causait la hernie galopante de ses choux.

— Je ne comprendrai *jamais* pourquoi elle s'inquiète de la hernie de ses choux, confia-t-elle à Lydia et Christopher, tandis que Natalie apparaissait en haut de l'escalier, prête à offrir ses services.

— La hernie est bien le moindre de ses problèmes. A voir son carré de légumes, on dirait que cette femme n'a que trois outils dans sa remise : la tronçonneuse, la pioche et le lance-flammes.

— C'est drôle, lui dit Natalie. C'est ce que mon papa disait tout le temps.

Daniel regarda sa petite dernière et secoua la tête, interloqué. Il le savait, chacun de ses enfants s'était arrangé à sa manière de l'étrange situation qu'il leur avait imposée, sans les avertir. L'attitude adoptée par Lydia envers ses deux identités — qui se fondaient parfois — était celle du petit sourire détaché. Christopher se montrait protecteur, avec un zèle fiévreux. Il s'était préparé et continuait de se préparer à l'instant terrible de la révélation. Ces deux façons d'appréhender la situation semblaient logiques à Daniel. Mais la manière dont Natalie traitait la double personnalité de son père, était des plus bizarres.

Daniel se souvenait que, durant les premiers jours, elle avait été inquiète, terriblement inquiète. Tandis qu'il déambulait tranquillement dans la maison, en jouant Mlle Doubtfire, Natalie le regardait, figée par l'angoisse, dévorée d'anxiété, profondément mal à l'aise, et bondissant comme un ressort chaque fois que la porte d'entrée s'ouvrait ou que le téléphone sonnait. La seule mention du nom de Miranda la plongeait dans une panique indescriptible. Cet arrangement la perturbait de façon si évidente, que Daniel commença à se demander si ce n'était pas une erreur désastreuse de troubler Natalie par sa présence en cherchant à la consoler de ses absences.

Il lui semblait à présent, lorsqu'il regardait en arrière, que tout avait changé.

Il semblait être devenu deux personnes entièrement séparées, pour Natty. C'était comme si, peu à peu, au fil des jours, Mlle Doubtfire était devenue de plus en plus réelle, et Daniel, complètement chassé de son personnage. Cette vision des choses était évidemment plus facile pour Natalie. Elle, qui commençait à ressembler à une petite boule de nerfs, redevint elle-même, placide, égale. Elle cessa de s'occuper avec ses crayons et ses animaux en plastique partout dans la maison, sauf là où Daniel pouvait être, elle cessa de l'éviter constamment, pour, au contraire, se mettre à trotter gaiement dans son sillage, à bavarder avec aisance, à lui raconter en détail sa journée à l'école, ses disputes et ses jeux dans la cour, et les amis occasionnels de sa maman.

— Elle sort avec Sam ce soir, disait-elle avant d'ajouter, songeuse : j'aimerais mieux pas.

— Pourquoi, ma chérie ?

— C'est juste que je préférerais qu'elle sorte avec M. Lennox.

— Pourquoi ? insistait Daniel qui commençait à s'alarmer outre mesure, et à craindre que ce Sam ne soit cruel, ou insensible, ou simplement trop froid envers sa précieuse Natty.

— Parce que Sam apporte toujours les mêmes vieilles fleurs. M. Lennox apporte des chocolats, de grandes boîtes spéciales où il n'y a pas d'horribles crèmes à la fraise.

— Pour ma part, j'adore les chocolats fourrés à la fraise, ma chérie.

— Mon papa aussi.

Sans doute valait-il mieux ne rien dire. Mais Daniel trouva extrêmement troublant d'être penché au-dessus de l'évier à rincer nonchalamment une assiette ou deux sous le robinet, tout en écoutant sa propre fille lui raconter que dans la cuisine de son papa, le savon était incrusté de vilains petits grains qui lui grattaient l'intérieur des mains quand elle se les lavait et que la brosse pour la vaisselle était devenue si chauve qu'elle ne pouvait plus nettoyer les assiettes. Il apprit durement que dans ces occasions, il valait mieux ne pas redevenir Daniel et vouloir défendre son honneur au sujet de telles broutilles. Cela la rendait nerveuse. En fait, au bout de quelque temps, la nette séparation qu'elle faisait entre ses deux protecteurs était devenue irrévocable, à tel point que si jamais Daniel commettait l'erreur de laisser glisser le masque, ne fût-ce qu'un instant – s'il utilisait sa propre voix pour l'appeler d'une pièce à l'autre, la juchait sur ses épaules ou maudissait l'aspirateur dans un langage danielesque – alors Natalie devenait brusquement muette et baissait les yeux. Profondément troublée, elle s'éloignait, s'exilait dans une autre pièce et n'en sortait pas. Mais tant que Daniel restait solidement planté dans les nouvelles chaussures de marche qu'il avait offertes à Mlle Doubtfire – ainsi qu'un nouveau turban, sans épingles, et plusieurs jolis chemisiers – Natalie restait près de lui, heureuse, détendue, plus que désireuse de l'aider dans toutes sortes de petites tâches ménagères, avide de lui confier ses secrets, affectueuse.

Daniel s'employa donc, les jours de Mlle Doubtfire, à éviter avec soin toute manifestation de Daniel. Il apprit à boire sa bière du déjeuner dans une tasse en porcelaine. Il prit l'habitude de fumer son cigare occasionnel sur le palier du premier étage où il pouvait souffler la fumée par la fenêtre et jeter dans les toilettes le mégot dénonciateur dès qu'il entendait la petite approcher. Et chaque jour, vers l'heure du thé, lorsqu'il se rasait de près pour la seconde fois, il se fit un devoir de fermer la porte de la salle de bains entre sa fille et lui.

Tout cela était étrange, très étrange. Mais rien ne reste étrange très longtemps et il s'aperçut bientôt qu'il s'était habitué à entendre d'anciennes conversations avec lui-même rapportées fidèlement par Natalie qui très sociable, suivait Mlle Doubtfire partout dans la maison chaque après-midi.

— Donne-moi ce cintre, veux-tu ma chérie ? Pour que j'accroche ce jupon de ta maman dans la penderie.

Natalie se pencha docilement au bord du lit sur lequel elle s'amusait à rouler, pour ramasser le cintre par terre.

— Il a été mâché, dit-elle d'un ton réprobateur. Les bouts ont été mâchés. Papa dit qu'il ne faut jamais, *jamais* mâcher du plastique.

— Il a tout à fait raison, ma chérie. On ne sait jamais ce qu'on mâche, avec le plastique.

— Oui, c'est ce que dit papa. Il dit qu'on peut le sucer, si on ne *peut pas* faire autrement, mais le mordre et le mâcher jamais, surtout jamais, et il dit ça *très sérieusement*.

— Eh bien, il ne dit rien d'autre que la vérité ma chérie. Et si j'étais toi, je ferais toujours très attention à ce que me dit mon papa.

— C'est ce que je fais.

— C'est très bien.

— Et je vais lui tricoter une cravate pour son anniversaire.

— Vraiment, ma chérie ? Comme c'est gentil. Je suis sûre que cela lui fera très plaisir.

— Elle sera rose.

— Il va certainement l'adorer.

— C'est une surprise.

— Bien sûr, oui. Passe-moi ce soutien-gorge, ma chérie, veux-tu ? Cette chose avec de la dentelle sur le dossier de la chaise.

Natalie le lui donna et Mlle Doubtfire l'inspecta d'un air critique, avant de le laisser tomber sur la pile de linge pour la lessive.

Natalie se mit à rire.

« Les dessous deux fois portés
Ne sont pas beaux à regarder », chanta-t-elle gaiement.

— C'est très bien pour ceux qui ont les moyens

de s'offrir une machine à laver, dit Mlle Doubtfire, d'un ton plutôt énigmatique.

— Papa n'en a pas, déplora Natalie avant de
revenir à sa cravate. Il faudra qu'il fasse attention
à ne pas salir ma cravate rose, lorsqu'il la mettra.
(Elle soupira.) *Si* il la met...

Mlle Doubtfire la rassura :

— Si tu tricotes une cravate rose à ton père
pour son anniversaire, il la mettra, j'en suis absolument certaine.

— C'est ce que dit Lydia. Elle dit qu'il a des
tiroirs remplis de cravates horribles, et il les met ;
alors il mettra bien la mienne.

— Ah bon ? Lydia a vraiment dit ça, ma chérie ?

— Oh, oui. C'est ce qu'elle a dit.

Assise sur le lit, Natalie replia ses jambes sous
elle, l'air pensif.

— J'ai essayé de lui téléphoner.

— Ah bon, ma chérie ? Pourquoi ?

— Pour lui demander s'il aime le rose.

— Quand ça, ma chérie ?

— Juste maintenant. Pendant que tu étais dans
la salle de bains. Mais il n'était pas là. (L'air
absent, elle se mit à tirer sur les franges de la
courtepointe.) Il n'est presque plus jamais là,
maintenant. Avant, il était toujours là quand je
l'appelais.

— Natalie...

— Quoi ?

— Non, rien.

Mais ce n'était pas rien et il était témoin qu'elle s'inquiétait. Lui aussi. A tel point que lorsque Miranda revint, très tard, ce soir-là, de son travail, et laissa tomber sur la table de la cuisine une énorme boîte d'appareils d'éclairage de qualité inférieure avec une mauvaise humeur évidente, son esprit était toujours loin et bien trop occupé pour songer à reporter à plus tard l'annonce d'un fictif coup de téléphone.

— Mon petit, juste un mot avant que je parte, leur père a appelé...

Il nota que Lydia et Christopher dressèrent simplement l'oreille, amusés, tandis que Natalie eut l'air absolument ravie.

Miranda répondit par une grimace épuisée.

— Mon Dieu. Il ne me manquait plus que ça !

— Vous dites ?

— Rien. Quand a-t-il appelé ? Non, attendez : à l'heure du déjeuner.

Mlle Doubtfire était stupéfaite.

— L'heure du déjeuner ? Pourquoi l'heure du déjeuner particulièrement ?

— Tout simplement parce qu'il a cette habitude incroyable — et pénible — de ne m'appeler qu'à l'heure des repas.

— Oh vraiment, mon petit ?

Irrité, Daniel se promit de l'appeler le lendemain matin, pendant le petit déjeuner.

— Absolument. Elle attrapa sa tasse de thé. Eh bien, que voulait-il *encore* ?

— *Encore* ? (Mlle Doubtfire semblait ne pas en avoir fini avec les reproches.) Vous pouvez difficilement l'accuser d'être importun, mon petit. Ils sont ses enfants autant que les vôtres et il n'a appelé que deux fois, depuis j'ai commencé à travailler pour vous.

— Oui, dit Natalie d'une voix chagrine. On dirait qu'il n'appelle plus jamais, maintenant.

Miranda sortait d'une journée de travail extrêmement dure, et ne se sentait pas du tout d'humeur à compatir.

— Il ne devrait pas avoir besoin d'appeler du tout. Vous le voyez tout à fait régulièrement et il doit connaître le calendrier par cœur.

— Voyons, mon petit ! (Le ton de Mlle Doubtfire était nettement réprobateur à présent.) J'ai trouvé cela très gentil de sa part de téléphoner. Dans la vie, on ne peut pas tout mettre dans un calendrier. Les enfants peuvent l'appeler quand ils le veulent. Pourquoi lui, devrait-il ne pas leur téléphoner ? Si les pères et les enfants ont besoin d'être en contact, ce n'est pas le rôle de la mère de s'interposer.

Miranda dédaigna ce discours.

— *Qu'est-ce* qu'il voulait ?

Cette discussion proche de l'altercation avait mis Mlle Doubtfire sous pression, et la réponse qu'elle donna fut beaucoup plus osée que celle initialement prévue.

— Il veut les emmener au théâtre samedi après-midi.

Natalie poussa des cris de joie. Miranda prit un air menaçant.

— Ce samedi ? Mais c'est *mon* week-end, cette semaine !

— Mais vous serez absente jusqu'à six heures, ce samedi, mon petit. C'est vous-même qui me l'avez dit lorsque vous m'avez demandé de venir spécialement. Vous devez vous rendre à Wolver-hampton pour une conférence sur l'éclairage d'intérieur. C'est ce que vous m'avez dit.

— Cela ne change rien au fait que ce soit mon week-end, maugréa Miranda.

Mlle Doubtfire rassembla ses forces.

— Pardonnez-moi de dire cela, mon petit. Mais votre attitude ne tend-elle pas à ressembler à celle de l'empêcheur de danser en rond ?

Miranda se renfrogna encore.

— Oh vraiment ! Comme c'est contrariant !

Christopher plongea dans la mêlée.

– Oh, maman, je t'en *prie*. Laisse-nous y aller avec papa, samedi. Cela fait des années que je ne suis pas allé au théâtre !

– Moi, je ne peux même pas me rappeler quand c'était, la dernière fois, dit Lydia.

– Moi, je n'y suis jamais allée du tout ! dit Natalie.

– Mais si, la corrigea Mlle Doubtfire d'une voix ferme.

Puis elle s'empressa de se corriger elle-même :

– Je suis certaine que tu as dû y aller, ma chérie. Tout à fait certaine. Je crois simplement que tu l'as oublié.

– Nous avons tous oublié, dit Christopher. Ça fait si longtemps. S'il te plaît, maman, laisse-nous y aller. S'il te plaît, allez ! *S'il te plaît*.

– Oh, je ne sais pas ! (Miranda restait maussade.) C'est très mal de la part de votre père de chercher à bouleverser ainsi le calendrier. Comment puis-je savoir qu'il vous ramènera bien à l'heure ? Vous savez comme il est. Et il n'a probablement pas encore les billets, de toute façon. Ça lui ressemblerait parfaitement. Vous allez tous vous exciter, et lui, il viendra vous dire samedi que toutes les places étaient déjà vendues. Je reviendrai de Wolverhampton absolument épuisée et il faudra que je trouve un moyen de vous consoler. Ça s'est souvent passé comme ça ! Oh, ce que cet homme peut être casse-pieds !

— Mais maman, si il a des billets, est-ce que nous pouvons y aller ?

— Oh, honnêtement ! Ce que ça peut être *contrariant,* alors ! conclut fermement Miranda comme si, pour son malheur, toute la question se résumait à cela.

Sincèrement désorienté, Christopher demanda autour de lui :

— Est-ce que maman veut dire que nous pouvons y aller ?

Le visage de Miranda était déformé par la colère.

Elle se rongeait les ongles.

— Oh, je ne sais pas ! Comme cela m'agace ! Comment *ose*-t-il ? Ça, c'est vraiment *typique !*

Il était clair que c'était maintenant à Mlle Doubtfire de jouer, et elle ne se déroba pas.

— Je crois que c'est sa façon à elle de dire que vous pouvez, mes chéris, leur dit-elle. Et je crois aussi que vous avez beaucoup de chance. Ce doit être un grand privilège d'aller au théâtre avec Daniel Hilliard. C'est un excellent acteur.

Totalement exaspérée par le comportement de Miranda, elle prenait de plus en plus de risques.

— Je l'ai moi-même vu sur scène…

— Vraiment ? Lydia et Christopher souriaient.

Mais Natalie était tout excitée. Qu'est-ce qu'il était ? Quel rôle jouait-il ?

Brusquement, Mlle Doubtfire se figea.

Alors, surgit dans la mémoire de Christopher un souvenir lointain, presque effacé. C'était la première fois qu'il avait assisté à une pantomime. Un homme grand, habillé en femme, faisait des cabrioles sur une scène illuminée. Sa mère se penchait sur lui et lui murmurait à l'oreille : « Regarde ! C'est papa, celui qui fait cette danse, avec les saucisses musicales. Il fait Mlle Doubtfire. »

— Votre bus ! s'écria Christopher. Vous allez manquer votre bus !

Mlle Doubtfire réagit aussitôt. Reconnaissante, elle plongea pour attraper son sac à main sous la table, et ramassa son manteau.

— Au revoir, mes chéris, roucoula-t-elle. A demain !

Elle leur adressa des baisers par-dessus son épaule, et disparut.

Miranda secoua la tête. Il était difficile d'incriminer Mlle Doubtfire. Vraiment. Miranda venait de faire un petit saut au premier étage pour se laver les mains après avoir porté cette boîte de lampes cassées toute sale et la maison était un véritable plaisir à regarder. Toutes ces choses qu'elle avait laissées éparpillées dans sa chambre après sa soirée avec Sam avaient été discrètement escamotées et les chambres de Lydia et de Christopher n'auraient pas pu sembler plus propres. Mais néanmoins, Miranda avait souvent l'impression d'avoir engagé la femme de ménage la plus étrange du monde.

Elle se tourna vers son fils, lequel lui paraissait légèrement troublé.

— Christopher, dit-elle. Comment trouves-tu Mlle Doubtfire ?

« Terriblement éprouvante pour les nerfs », se dit Christopher, en se rappelant avec une certaine amertume, le mégot de cigare détrempé qu'il avait été repêcher dans la cuvette des toilettes, quelques instants avant l'arrivée de sa mère.

— Très bien, lui assura-t-il. Vraiment très bien.

Miranda tournait sa cuiller dans sa tasse.

— Elle est plutôt, enfin… plutôt *étrange,* tu ne trouves pas ?

— Non, dit Christopher avec conviction. Je ne la trouve pas étrange. Lydia non plus. Et Natalie non plus.

— Mais elle est tout de même très *grande,* non ?

— Elle n'est pas si grande que ça, la contredit Christopher. Elle est seulement un peu plus grande que toi.

116

— Mais moi je suis très grande. Je suis à peine plus petite que ton père. Et Mlle Doubtfire est encore plus grande que moi.

— Et alors ?

Il semblait suffisamment sur la défensive pour alarmer sa mère. Elle se demanda soudain s'il n'y avait pas là quelque signe d'une nature chevaleresque qui ne s'était pas encore révélée.

— C'est cependant une femme assez *forte*, tu dois l'admettre.

— Non. Christopher était inflexible. Je ne trouve pas.

— Voyons, Christopher !

Exaspérée, Miranda se tourna vers sa fille aînée.

— Qu'est-ce que tu penses d'elle, Lydia ?

— Eh bien... Lydia sourit. Elle est *un peu étrange*.

Miranda fut soulagée. L'un de ses enfants, au moins, avait encore un un peu de bon sens.

— Ah, n'est-ce pas ? Elle est vraiment étrange. Mais ne trouves-tu pas que tout se passe bien ? Mieux que si vous passiez ce temps-là avec votre père ?

Il y eut un silence puis Lydia répondit.

— Je ne dirais pas *mieux*. Mais je ne dirais pas *moins bien* non plus. Je crois que je dirais plutôt *différent*.

117

Satisfaite de cette réponse, Miranda se tourna vers Natalie.

— Et toi, qu'est-ce que tu penses, Natalie ? Est-ce que tu aimes Mlle Doubtfire ?

— Oh, oui ! témoigna vivement Natalie. Je l'aime *beaucoup* !

Puis, comme son frère et sa sœur la regardaient avec un sourire affecté, elle ajouta sans réfléchir :

— Je crois que Mlle Doubtfire est certainement la personne que je préfère le plus.

Sournoisement, Lydia lui demanda :

— Et papa, alors ?

Figée d'horreur, Natalie regarda fixement sa sœur. Miranda songea qu'elle semblait soudain tout à fait angoissée. Elle prit une inspiration puis souffla, puis reprit, désespérée, une nouvelle inspiration.

— Je crois — bégaya-t-elle. Je crois que — je crois... Et comme la réponse lui apparut soudain de façon providentielle, elle acheva d'une voix triomphante :

— Je crois que je les aime tous les deux *exactement pareil* !

VI

DES FAMILLES HEUREUSES

Le lendemain soir, Mlle Doubtfire entendit le bruit des talons de Miranda sur l'allée du jardin, et interrompit son arrosage.

— Voilà votre mère qui revient de son Empire.

Comme elle ouvrait la porte, Miranda entendit le dernier mot.

— Mon empire ? questionna-t-elle, sur le seuil.

— Désolée, mon petit, lui répondit Mlle Doubtfire. Je voulais dire le Palais. Cela m'arrive fréquemment de dire un mot à la place d'un autre.

Christopher lança un regard inquiet à Lydia qui riait tout bas, en gardant la tête penchée sur ses devoirs.

Lorsque Miranda entra dans la pièce, elle ne remarqua pas l'hilarité de sa fille. Comme d'habitude, elle était épuisée et avait mal aux pieds. Elle regarda avec contentement le feu qui brûlait dans l'âtre, se laissa tomber dans le premier fauteuil et entreprit d'enlever ses chaussures trop étroites.

— Une bonne tasse de thé, mon petit ?

Reconnaissante, Miranda allongea le bras pour prendre la tasse.

Le thé, le feu qui réchauffait, et jusqu'à Mlle Doubtfire elle-même, tout était parfait.

Ses doutes de la veille envolés, Miranda bénissait le jour où elle avait introduit sous son toit cet imposant personnage aux gestes gauches. Mlle Doubtfire était peut-être un drôle d'oiseau. Mais Miranda était avant tout une femme d'affaires, qui avait appris à ne juger qu'au résultat. Et les résultats de cette décision tenaient de la magie, songea-t-elle. Les enfants étaient plus stables et plus heureux, la vie à la maison tournait comme une horloge, et cette femme faisait un pain de viande aussi bon que celui de Daniel.

Dans ces moments-là, affalée dans un fauteuil devant un feu qui flambait déjà, une tasse de thé à la main, avec ses deux aînés déjà installés à la table, plongés dans leurs devoirs, et Natalie qui manœuvrait paisiblement ses animaux en plastique à ses pieds, Miranda se demandait comment elle et ses trois enfants avaient bien pu se débrouiller avant l'arrivée de Mlle Doubtfire.

Chaque jour, cette femme l'étonnait davantage. Il était certain qu'à cet instant précis, un bon dîner cuisait à feu doux dans le four, la pile de repassage de la veille avait été dispersée entre les différents tiroirs et penderies, la caille avait eu à manger et à boire, et la cuisine était immaculée. Ce qui n'empêchait pas Mlle Doubtfire d'être toujours sur ses pieds, à s'affairer autour des plantes sur l'étagère, en opinant du turban.

— Ce tradescantia ne se porte pas bien du tout, disait-elle. Je savais qu'il était trop tard lorsque je suis arrivée.

— Je le trouve bien, moi, dit Lydia. Il est intéressant, tout sec, avec son air penché.

Mlle Doubtfire la regarda avec une désapprobation à peine dissimulée.

— Les tradescantias viennent de la jungle, l'informa-t-elle. Ils sont censés être des plantes luxuriantes. Alors qu'on peut compter les feuilles de celui-ci sur les doigts d'une main qui ne serait pas tout à fait normale.

Miranda voulut consoler sa perle :

— Mais vous avez fait des merveilles avec les autres plantes. Elles n'ont cessé de gagner en vigueur depuis que vous vous en occupez.

Et c'était vrai. C'était le salut botanique qui était entré dans la maison. Même certaines plantes parmi les plus malades étaient revenues à la vie. « Je n'aime pas l'allure de cette maranta », avait murmuré Mlle Doubtfire le premier jour, tandis qu'elle essayait tant bien que mal de nouer son nouveau tablier. « Et ce pauvre figuier est presque bon à faire du petit bois. » Elle s'était mise à l'ouvrage, armée de nourriture pour plantes, de vaporisateurs et de petits tuteurs. Et à présent, les œillets étaient de nouveaux dignes de ce nom, les plantes grimpantes s'étaient mises à grimper, les feuilles s'étaient multipliées, les bourgeons bourgeonnaient, et les vrilles des plantes accrochées à l'entrée étaient devenues si longues, si fournies, si bouclées qu'elles se prenaient dans les cheveux de Miranda chaque soir, lorsqu'elle passait la porte.

Mlle Doubtfire était plutôt contente d'elle.

— Oui, je ne pense pas leur avoir fait trop de mal...

— Du mal ! Miranda feignit d'être scandalisée. Alors que vous avez fait de véritables petits miracles partout dans la maison ! Vous êtes comme mon ex-mari. Il avait la main verte.

Elle entendit derrière elle une sorte de ronflement, et se demanda si Lydia n'avait pas pris un coup de froid. Mais avant qu'elle ait pu se mettre à inspecter Lydia, à la recherche des premiers signes d'un rhume, Mlle Doubtfire s'était avancée et lui avait tapoté le poignet pour réclamer son attention.

— Elles étaient dans un état, quand je suis arrivée, mon petit, choquant. Tout simplement choquant. C'est tout juste si j'ai pu sauver les violettes africaines. Deux mois de plus, et vos impatientes seraient mortes elles aussi. Il faut que je vous le dise : Vous avez été très négligente.

— J'ai vraiment fait ce que j'ai pu, soupira Miranda. Mais je n'ai jamais été douée pour m'occuper des plantes. J'ai vraiment essayé de les soigner de mon mieux, mais, après le départ de Daniel, elles sont devenues de plus en plus misérables.

— Pauvres plantes, compatit doucement Natalie, à ses pieds.

— Au printemps dernier, continua Miranda, lorsque j'ai vu l'état dans lequel étaient les œillets, j'en ai pris quelques boutures. Je les ai mises dans un pot à confiture rempli d'eau et je les ai transportées sur cette boîte à côté de la chaudière, au sous-sol.

— Aucun danger que vous leur rendiez un peu de dignité, observa Mlle Doubtfire sur un ton sardonique qui n'était pas dans ses habitudes, et surprit Miranda.

— Ils se portaient bien, se défendit-elle. J'ai même remarqué au bout de quelque temps que ces petites choses blanches s'étaient mises à pousser, en bas.

— Des racines, dit Mlle Doubtfire. Ces petites choses blanches en bas s'appellent des racines.

— Alors je les ai mis dans des pots peints en rouge, que j'avais remplis de ce truc épais, marron — comment cela s'appelle-t-il ?

— De la terre, dit Mlle Doubtfire. Nous autres, horticulteurs, nous appelons ça de la terre.

— Non ! se souvint Miranda. C'était du terreau n° 2; de la Fée Pouces Verts.

Tout heureuse, elle se cala de nouveau dans son fauteuil.

— Oui ? s'enquit Mlle Doubtfire lorsqu'il fut évident que Miranda considérait qu'elle était arrivée au terme de son histoire. Qu'est-ce qui est arrivé, ensuite ?

— Oh ! Ensuite ils sont morts.

Mlle Doubtfire fit un réel effort pour paraître ne fut-ce que légèrement surprise. Mais elle ne put s'empêcher de se lancer dans une autopsie botanique.

— Vous les avez probablement fait mourir de faim, ou desséchés, ou noyés.

— Ou fait cuire, suggéra Lydia.

— Ou laissés dans un courant d'air, dit Christopher, essayant d'oublier un instant son inquiétude pour ne pas être en reste, dans cette démonstration de savoir horticole.

— Ils ont dû être vraiment très malheureux, dit Natalie. Les œillets ont horreur d'avoir les pieds mouillés.

— Ils supportent mal un terreau humide, c'est exact, confirma Mlle Doubtfire.

Miranda resta ébahie. Elle ne s'était jamais rendu compte que Natalie savait des choses sur les plantes. Mais de plus en plus souvent à présent, sa petite fille la surprenait, par des bribes d'un savoir venu d'ailleurs, qu'elle n'avait pas pu rapporter de l'école.

Il était clair qu'une fois rentrée à la maison, elle suivait Mlle Doubtfire tandis que celle-ci arrosait, vaporisait, fertilisait et taillait, et que toutes deux échangeaient longuement des confidences botaniques. Miranda en était heureuse. Trop souvent durant ces dernières années, elle avait été forcée de se considérer comme une mère distante et inaccessible, trop souvent absente de par son travail, trop souvent éreintée par les événements de sa journée au Palais, trop exténuée pour pouvoir écouter calmement, avec plaisir, la conversation de ses enfants. Elle se sentait de plus en plus soulagée que Mlle Doubtfire se soit révélée être une telle merveille. Tout devenait plus facile, et donc d'une certaine manière, tout devenait aussi plus agréable. A son bureau même, elle se sentait moins tendue, car pour la première fois, elle pouvait enfin cesser totalement de s'inquiéter de l'état nerveux dans lequel elle rentrerait chez elle.

Mlle Doubtfire était plus que compétente. Et ce qui était plus admirable encore, c'était son esprit de décision. Il n'y avait pas une once de « Il faudra voir » en elle. Elle ne ressemblait à aucun des maillons de la longue chaîne que constituaient les femmes et les jeunes filles que Miranda avait engagées pour l'aider. Mlle Doubtfire ne s'était jamais, à la connaissance de Miranda, retranchée derrière l'éternelle formule de la baby-sitter : « Je n'en suis pas sûre. Je préfère que tu attendes le retour de ta mère pour lui demander. »

Avec elle, c'était totalement l'inverse. En fait, elle semblait immunisée contre l'idée que les enfants appartenaient, avant tout, à Miranda. Elle semblait convaincue d'être investie de toute l'autorité d'un parent authentique. A l'instant notamment, en présence de Miranda qui sirotait sa seconde tasse de thé en étirant ses doigts de pied devant le feu, Mlle Doubtfire venait de demander assez sèchement à Christopher de reposer sa chaise sur ses quatre pieds, et avait signalé à la petite Natalie qu'elle ferait plaisir à tout le monde dans la pièce, en voulant bien s'abstenir d'explorer l'intérieur de son nez avec son doigt.

Au début, Miranda avait trouvé ce postulat d'autorité également partagée un peu déconcertant. Mais elle s'y était abandonnée avec soulagement dès que les avantages de cet arrangement lui avaient paru évidents, dès qu'elle avait réalisé à quel point sa vie de tous les jours en était facilitée, dans bien des domaines qui étaient, depuis si longtemps pour elle, synonymes de fatigue et de tracas.

— J'ai prévenu Lydia qu'il n'y aurait pas de théâtre avec son papa demain, si elle n'avait pas réellement avancé dans son exposé d'histoire, disait encore Mlle Doubtfire. Quel dommage que vous ne soyez pas rentrée plus tôt ! J'ai fait cirer toutes les chaussures à Christopher, et il semble que celles-ci auraient eu besoin d'un petit coup de brosse.

Elle se redressa et secoua les pans de son épaisse jupe de tweed.

— Si je continue, je vais encore manquer le prochain bus. Voulez-vous que je recharge le feu avant de partir ?

Son énorme main souleva le seau et le retourna comme s'il était aussi léger qu'une plume, versant dans l'âtre un jet de charbon.

— A propos, Natalie et moi sommes convenues qu'à partir de maintenant, ce serait son travail de vider le lave-vaisselle.

— Vous êtes un trésor, Mlle Doubtfire, murmura Miranda. Un trésor bien plus précieux qu'un mari.

— Cela dépendrait certainement duquel, mon petit.

Miranda se mit à rire.

— En tout cas, plus que le mien, pour commencer.

— Oui ? Mlle Doubtfire s'apprêtait à prendre son sac en crocodile, mais sa main hésita.

Derrière le fauteuil de leur mère, Lydia et Christopher échangèrent un regard. Christopher se mordit la lèvre. Cela le rendait toujours terriblement anxieux, lorsque son père retardait de plusieurs minutes son départ, après l'arrivée de Miranda. Pour Christopher, lorsque Miranda était dans la maison, chaque mot, chaque geste de Mlle Doubtfire constituait un risque. Le péril était partout. A tout moment pouvait survenir un terrible accident. Mlle Doubtfire pouvait faire tomber un objet lourd sur son pied et laisser échapper un juron comme seul Daniel en proférait. Son turban pouvait tomber de sa tête. Elle pouvait oublier de fermer la porte des toilettes, et, surprise dans son intimité, surprendre à son tour. Même à présent, comment être sûr qu'à la faveur de ce bon feu, Mlle Doubtfire ne se mettrait pas, sans y penser, à remonter les manches de son chemisier à fronces, exposant deux avant-bras aussi velus que musclés ?

Mais Lydia semblait beaucoup s'amuser. Elle aimait ces moments, lorsque son père, caché de façon précaire par son déguisement, entraînait Miranda à divulguer ses secrets, et à se rappeler les mauvais souvenirs de sa vie de couple. C'était dangereux, certes ; mais c'était aussi fascinant de voir Mlle Doubtfire soutirer à Miranda des choses indiscrètes, qui permettaient à Lydia d'entrevoir les raisons pour lesquelles le mariage avait échoué. Durant ces dernières semaines, elle s'était défaite de plus d'une fausse idée, concernant l'un ou l'autre de ses parents. Elle avait trouvé plus d'un morceau du puzzle. Cela valait la peine de traverser sur la pointe des pieds un champ de mines, pour apprendre quantité de petits détails intrigants sur le passé.

Et elle n'était pas seule. Daniel semblait lui aussi prêt à risquer d'être découvert – il donnait même l'impression d'aimer ce petit flirt quotidien avec le danger, le péril que comportait cette version du jeu de l'aveugle, dans laquelle son ex-femme était par principe vouée au rôle de l'aveugle.

— Votre ex-mari n'était donc pas un trésor ?

— Seigneur, non ! Miranda se mit à extraire les épingles de sa resplendissante chevelure. Je vais vous dire ce qui n'allait pas chez lui.

— Oui, dites-moi, mon petit.

Christopher se tortilla mal à l'aise, au-dessus de son cahier. Lydia tendit l'oreille et Natalie, elle aussi, leva les yeux de sa ménagerie de plastique.

— Mon mari était — Miranda prit une grande inspiration, tandis que tout ce que représentait Daniel d'atrocité, la frappait de nouveau, dans toute son ampleur, après ces années de soulagement partiel — l'homme le plus irresponsable que j'aie jamais eu la malchance de rencontrer, sans parler d'épouser.

— Non !

— Si, si. Il est si irresponsable qu'on ne lui confierait pas un tronçon de bois dans un champ ; alors une femme, des enfants et une maison, vous pensez !

— Qu'a-t-il fait, mon petit ?

— Je vais vous dire ce qu'il a fait.

La seule évocation la rendait déjà furieuse. Elle releva la tête, et ses éblouissants cheveux retombèrent sur ses épaules. Elle les secoua violemment et ils se déployèrent autour de son visage, lui donnant un air d'ange vengeur.

Vipère, sac à calomnies ! songea Daniel. Exagératrice pathologique. Judas ! Faux-témoin !

— Oui, mon petit, fit-il doucement.

— Écoutez, dit Miranda.

Tout le monde écoutait.

— La première fois que j'ai su que j'avais épousé un fou, commença Miranda, ce fut le jour de mon mariage. J'avais dix-neuf ans. Je portais une longue robe blanche, et des fleurs d'oranger dans les cheveux. C'était par un éblouissant après-midi de printemps, et des moutons de nuages couraient dans le ciel d'un bleu intense. Tous ceux qui étaient invités étaient venus, sauf deux misérables oncles que je n'avais de toute façon pas très envie de voir. Cela aurait pu être un jour parfait...

— Je crois que tu nous l'as déjà raconté, dit Christopher, faisant tout son possible pour arrêter Miranda, dans l'espoir que son père ramasserait son sac et partirait.

— Chhh ! le réprimanda Natalie. On écoute l'histoire !

— Le mariage avait lieu à l'hôtel de ville. Lorsque je suis arrivée, votre père était déjà là, et il regardait une femme, à l'entrée du supermarché d'à côté.

— Je suis *sûr* que tu nous l'as déjà raconté, dit Christopher, qui espérait encore pouvoir la stopper.

— *Tais-toi !* fit Natalie, furieuse.

— Cette femme essayait de donner des chatons. Elle avait à côté d'elle une boîte en carton, d'où émergeaient à tour de rôle de petites oreilles de chatons et de petits nez roses. Il y avait aussi une pancarte écrite à la main, disant que ces chatons avaient désespérément besoin d'une maison, et que ceux qui n'auraient pas été adoptés avant la fermeture du supermarché, le soir, seraient supprimés.

Natalie écoutait, fascinée. Sa mère poursuivit :

— Je savais pourquoi Daniel s'y intéressait tellement. Sa propre chatte avait mis au monde une gigantesque portée huit semaines auparavant, et il n'avait encore trouvé de foyer pour aucun des chatons, alors que nous étions prêts à partir en voyage de noces.

— Où ça ? demanda Lydia.

— Dans le nord de l'Écosse, lui dit Mlle Doubtfire.

Miranda eut un sursaut d'étonnement.

— Comment savez-vous cela ?

Il y eut un instant de léger malaise, avant que Mlle Doubtfire ne s'explique.

— Vous vous souvenez de ces photos encadrées que vous avez mises tout au fond de votre armoire, mon petit ? Je les ai nettoyées la semaine dernière, et je n'ai pu m'empêcher de remarquer sur l'une d'elle un homme d'allure avantageuse, qui vous volait un baiser à une table de café, au bord d'une plage.

— Mais comment avez-vous deviné que c'était pendant notre lune de miel ?

— Voyons ! (Mlle Doubtfire eut l'air un peu choquée.) Vous vous embrassiez *en public*, mon petit !

— Et comment avez-vous deviné que c'était en Écosse ?

— J'ai reconnu les falaises, mon petit. Et il semblait faire un tel mauvais temps...

— S'il te plaît ! supplia Natalie. Qu'est-ce qui est arrivé aux pauvres chatons ? Dis ce qui est arrivé aux pauvres chatons. *Allez !*

Troublée, Miranda reprit son histoire, tandis que Christopher reprenait son souffle. Quant à Mlle Doubtfire, elle essuya discrètement ses paumes moites.

— Dès que votre père m'a vue, il a bondi en bas des marches. « Écoute, m'a-t-il dit, je viens

133

juste de parler avec cette femme. Elle avait six chatons quand elle a commencé. Apparemment, elle est restée là toute la journée d'hier sous les trombes d'eau, et toute la matinée sous ces averses de grêle, et tout cet après-midi. Il ne lui reste plus que deux chatons et l'une des vendeuse du magasin a promis de lui en prendre un. »

Ces derniers mots ôtèrent visiblement à Natalie un poids immense.

Miranda poursuivit.

— Nous étions déjà en retard. Je l'ai pris par le bras et nous sommes entrés dans l'hôtel de ville. Tout le monde nous attendait et nous avons été mariés sans perdre un instant de plus. Votre père était dans un tel état qu'il a fait tomber l'alliance deux fois.

— Nul n'a besoin d'un météorologue pour savoir dans quelle direction souffle le vent, la gronda gentiment Mlle Doubtfire. Vous auriez dû songer à reculer avant qu'il ne fût trop tard.

— Lui aussi ! répondit Miranda avec aigreur.

— Oh oui, mon petit. Lui aussi. Absolument !

Il apparut soudain à Lydia que si son père ou sa mère avait reculé à ce moment-là, ni elle ni ses frère et sœur n'auraient jamais vu le jour. C'était une idée des plus perturbantes. Tandis que Lydia la repoussait de toutes ses forces dans un autre coin de son esprit, se promettant d'y réfléchir plus tard, Miranda disait :

— De toute façon, il ne me serait jamais venu à l'idée de reculer. J'étais si heureuse. Je l'aimais, je le voulais, et enfin nous étions mariés. Nous sommes sortis de la salle de la mairie, et tous nos amis se sont pressés pour nous embrasser, et...

Elle s'arrêta net.

— Et- ?

— Et- ?

— Et- ?

Daniel s'abstint de se joindre à ce chœur. Il ne savait que trop bien ce qui allait suivre.

— Et nous nous sommes aperçus que votre père était parti !

— Parti ?

— Parti ?

— Parti ?

— Parti ! Disparu. Il était introuvable. Envolé. Évaporé.

— *Qu'est-ce* que tu as fait ?

— Il n'y avait pas grand-chose que je puisse faire. Au bout d'un moment j'ai envoyé mon frère jusqu'aux toilettes, pour voir s'il y était. Mais il est revenu en me faisant non de la tête. Alors tout le monde s'est mis à tourner en rond dans le hall d'entrée. Les gens brûlaient de curiosité, chuchotaient par petits groupes, se demandaient si le marié avait fait la fugue classique, après une minute à peine de mariage. Ma mère était en larmes et mon père avait un air meurtrier.

— Oooh, laissa échapper Natalie.

Elle tenta d'imaginer son aimable et rebondi grand-père en meurtrier, sans y parvenir.

— Et toi ? Lydia était fascinée. Toi, alors ?

— Moi ? Miranda tira sur un petit fil qui dépassait de sa robe. J'avais l'impression que le ciel s'était effondré. Je me sentais gênée, misérable, humiliée et bouleversée. Mon mariage était tourné en dérision. Et je savais déjà que le reste aussi était gâché.

— Cela a dû être terrible pour toi, dit Lydia.

Tout en parlant, elle observait Mlle Doubtfire d'un air pensif.

Mlle Doubtfire fronça les sourcils et Miranda, prenant ce regard sombre pour un signe de sympathie, continua son histoire.

— Je me suis obligée à faire comme si rien ne s'était passé. Je naviguais entre les invités en souriant, je bavardais avec eux en secouant les cheveux d'un air dégagé. Et si quelqu'un de sournois me demandait ce qu'il était advenu de Daniel, je lui affirmais qu'il allait revenir d'une seconde à l'autre, et qu'il était probablement en train de préparer une merveilleuse surprise.

— Et c'était ça ?

Le regard froid et impénétrable de Lydia ne quittait pas Mlle Doubtfire.

— Eh bien... répondit sèchement Miranda, ce fut une surprise...

— Qu'est-ce que c'était ?

— Un peu de patience. Au bout de vingt minutes environ, alors que je m'apprêtais à mourir de honte, le garçon d'honneur s'est glissé auprès de mon père et lui a dit qu'il fallait que nous partions. Il y avait d'autres mariages, et le nôtre encombrait le hall d'entrée. Nous avons donc évacué nos invités sur les marches. Et là, j'ai vu votre père.

— Où ça ?

— En bas des escaliers. Il venait de sauter du marchepied d'un bus, un 27, et il tenait dans ses bras une boîte en carton.

— La surprise ! cria Natalie, heureuse que l'honneur de son père soit enfin restauré.

Miranda lui jeta un regard de pitié, avant de dire :

— Et là, devant *tout le monde,* alors que tout le monde *regardait,* votre père a calé la boîte sous son bras, grimpé les marches et m'a attrapée par le poignet. Tout essoufflé, il a dit : « Vite ! Elle peut partir d'un instant à l'autre ! » Il m'a, pour ainsi dire, *traînée* en bas. Il m'a littéralement broyé le bras, et a déchiré ma robe. Devant tout le monde il m'a tirée jusqu'à cette pauvre femme qui se tenait toujours devant le supermarché, triste et épuisée, et qui désespérait de trouver une maison pour son dernier petit. « Tenez ! lui a-t-il dit, ceux-ci sont pour vous ! » et savez-vous ce qu'il a fait ?

Natalie, qui désespérait de savoir, se contorsionnait d'impatience.

— Il a soulevé le couvercle de sa boîte et a déversé dans celle de la dame une marée de fourrure. Toute la portée ! Huit frêles petits chatons aussi doux qu'adorables. Huit de plus ! Cette pauvre femme était au désespoir. Littéralement au désespoir ! J'ai cru que le choc allait la faire s'évanouir. Elle était si horrifiée qu'elle ne pouvait plus parler. Et avant que j'aie eu le temps de dire ou faire quelque chose, Daniel m'avait à nouveau entraînée. Il m'a fait traverser le trottoir encombré et m'a poussée dans le premier bus qui passait. Je me suis débattue pour essayer de descendre et de retourner voir cette femme, mais Daniel m'en a empêchée. Il m'a coincée contre la pancarte « Défense de cracher » et m'a embrassée jusqu'à ce que le feu passe au vert et que je ne puisse plus prendre le risque de sauter.

A présent les trois enfants regardaient fixement Mlle Doubtfire, et elle sembla tout à fait mal à l'aise.

— Ensuite, dans le bus, tout le monde s'est mis à applaudir. Ils félicitaient Daniel d'embrasser sa jeune épouse avec autant de passion. J'étais tellement en colère que je l'ai giflé. Ils ont tous alors froncé les sourcils et se sont détournés, en parlant tout bas de mon mauvais caractère et de ce charmant jeune homme qui venait visiblement de commettre la plus grande erreur de sa vie.

Elle poussa un énorme soupir.

— Bon, j'ai peut-être un problème. Je ne vois peut-être pas les choses de la bonne façon. Mais tout ce que je peux vous dire, c'est que ce jour-là, dans ce bus qui m'éloignait de la fête donnée pour mon mariage, à la vitesse de quarante kilomètres/heure, avec ma robe de mariée toute salie, je me suis mise à pleurer à chaudes larmes. Je réalisais que je venais de faire l'épouvantable erreur d'épouser l'homme le plus irresponsable de la terre.

Il y eut un long silence. Natalie songeait à la pauvre femme qui devait avoir mal aux jambes, ainsi obligée de rester debout contre le mur de briques glacé du supermarché deux jours de plus, peut-être même davantage, pour se débarrasser d'un autre carton de petits chats. Une récréation sans fin, se dit Natalie, sans amis pour vous parler, sans un bon feu pour vous réchauffer.

Christopher était intrigué par le fait qu'il n'avait jamais entendu cette histoire auparavant. Même si sa mère voulait l'oublier, et si son père en avait honte, on se serait attendu à ce que les grands-parents en reparlent une fois de temps en temps. Après tout, ils avaient dû débourser une forte somme pour la cérémonie et la réception gâchée. Cela les avait certainement bouleversés, et rendus furieux. Il était étrange qu'ils n'en parlent jamais, tout de même...

Lydia se demandait si un mariage traditionnel, dans une église, aurait pu changer quelque chose – modérer la folie de son père, notamment. Elle se dit finalement que non. C'était une affaire de manque de respect, songea-t-elle, mais pas tant envers la cérémonie elle-même qu'envers les sentiments et les vœux de sa mère. Sous un certain angle, c'était une histoire drôle. Lydia le voyait bien. Mais seulement si on la regardait de l'extérieur, ou avec le recul des années. Lorsque c'était arrivé, cela n'avait pu paraître ni drôle, ni pardonnable. Et particulièrement ce baiser dans le bus. De leur premier baiser de nouveaux mariés, il avait fait un simulacre, une farce. Si Lydia avait été à la place de sa mère...

– Si j'avais été toi, je l'aurais tué.

La conviction avec laquelle elle avait dit cela surprit beaucoup Miranda. Et Daniel également. Troublé, il fit un effort pour se défendre et tenter d'apaiser la tempête.

– Tout cela s'est passé il y a très longtemps, mon petit. De l'eau a coulé sous les ponts, depuis. Je suis tout à fait certaine qu'il s'est amélioré après votre mariage.

– Au contraire, dit Miranda. Cela n'a fait qu'empirer.

– Comment ? demanda Lydia.

– Eh bien, dit Miranda, au tout début de notre lune de miel, il a chuchoté à un rabbin, qui partageait notre compartiment de train de Londres à Inverness, que chaque morceau de nourriture servi par la compagnie avait été cuit dans de la graisse de porc. Ce pauvre homme serait mort de faim si je n'avais pas tout compris lorsque nous sommes arrivés à York !

– Celle-là, je suis vraiment sûr que je l'avais déjà entendue, dit Christopher. Et envoyant soudain au diable toute sa politique de protection de son père, il ajouta d'un ton provocateur :

– Et celle du matou de Mme Hooper qui était resté coincé dans l'orme.

– Je ne me rappelle pas celle-là, dit Lydia.

Mlle Doubtfire essaya de tousser, mais personne n'entendit. Tous écoutaient Christopher.

— Un matin, Minet est resté coincé dans l'orme. Il y resta toute la journée. Quand il a commencé à faire noir, et qu'il ne pouvait même plus voir les bons morceaux dispersés au pied de l'arbre pour lui donner envie de descendre, Mme Hooper s'est mise à paniquer. Elle a commencé à emprunter des échelles et à les déplacer en faisant un bruit fou. Elle a empêché toute la rue de dormir pendant des heures, en appelant son chat, en claquant les portes des remises et en écrasant les branches avec les échelles. A deux heures du matin, papa s'est mis en colère. Il a brusquement ouvert la fenêtre, s'est penché dehors, en pyjama, et a crié : « Arrêtez ce boucan et allez vous coucher ! » Mme Hooper a répondu : « Mais que va faire le pauvre Minet ? » Et papa a hurlé de toutes ses forces : « Mais enfin, pour l'amour de Dieu ! Vous avez quarante-neuf ans ! Combien de squelettes de chat avez-vous déjà vus dans les arbres ? »

— Je ne connaissais pas celle-là, dit Lydia par-dessus le raclement de gorge insistant de Mlle Doubtfire. Je ne connaissais que celle de l'enterrement de l'oncle Jack, quand tout le monde pleurait. (Elle regarda Mlle Doubtfire avec un sourire étrange.) Et papa a fait croire que le corbillard lui avait roulé sur le pied.

— Que s'est-il passé ? demanda Christopher.

— Le chauffeur a failli avoir une attaque. Papa sautait sur une jambe, en se tenant l'autre d'une main. Il a fini par perdre l'équilibre et tomber dans une tombe fraîchement creusée.

— Je ne savais pas que tu connaissais cette histoire, dit Miranda.

— C'est tante Ruth qui me l'a racontée, dit Lydia. Elle me l'a racontée un jour où papa avait fait quelque chose d'encore pire.

— Encore pire ? Les oreilles de Christopher frémissaient presque d'impatience. Quoi ? Dis-nous vite !

Le visage de Mlle Doubtfire s'assombrit tandis que Lydia racontait :

— C'est arrivé il y a quelques années. (Un soupçon de menace inhabituelle teintait sa voix, et cela déplut profondément à Daniel.) Tante Ruth était venue pour voir le bébé.

— Quel bébé ? demanda Natalie.

— Toi, lui répondit Lydia. C'était toi le bébé, Natty. Tu étais si petite que tu ne savais même pas t'asseoir toute seule. Et tu risquais donc de rouler, ça t'est arrivé assez souvent, d'ailleurs.

Natalie se mit à rire. Elle avait bien du mal à croire ce que disait sa sœur.

— Tu étais en train de dormir. Tante Ruth venait juste de changer ta couche sur le canapé, et tu t'étais endormie là, entre les coussins. Elle ne voulait pas risquer de te réveiller en te prenant pour te remettre en sûreté dans ton petit lit, mais il fallait qu'elle aille aux toilettes. Elle m'a raconté qu'elle était désespérée parce qu'elle n'avait pas eu un instant depuis qu'elle était arrivée. Papa est entré dans la pièce juste à ce moment, alors tante Ruth lui a demandé de te surveiller. Elle a bien insisté : « Attention à ce que le bébé ne tombe pas du canapé. » Et elle est sortie très vite. Elle a refermé la porte des toilettes et tiré le verrou. Elle venait à peine de baisser sa culotte et de s'asseoir sur le siège, quand elle a entendu un *bruit* épouvantable qui venait du salon. « Exactement comme si un bébé tombait par terre la tête la première », a-t-elle dit. Elle est sortie à toute allure des toilettes, avec sa culotte autour des chevilles.

Lydia fit une pause. Mlle Doubtfire se baissa pour attraper son sac sous sa chaise.

— C'était papa, bien sûr. Il avait délibérément tapé du pied par terre.

Mlle Doubtfire se leva en serrant son sac contre elle. Son visage était figé, sa voix glaciale.

— Je crois que je ferais bien de partir, maintenant, les informa-t-elle. Je suis certaine que ces petites histoires au sujet du père des enfants vont vous tenir occupés jusqu'à l'heure du coucher. (Son ton froid fut traversé d'un éclair de sarcasme.) Je dois vous dire, mon petit, que j'étais loin d'imaginer *à quel point* vous aviez pu souffrir.

Miranda ne vit pas la moquerie.

— C'était *horrible*, renchérit-elle. Un vrai *calvaire.* Je suis d'une nature un peu rigide, je serais la première à le reconnaître. Mais il me semble parfois que Daniel est capable de jouer n'importe quel rôle à la perfection, excepté celui d'un être humain normal et responsable ! (Elle soupira.) C'est peut-être ce qui m'a plu, au début. Moi qui suis si sérieuse, si soigneuse, j'ai peut-être cru qu'il me procurerait un changement agréable. Peut-être même me suis-je dit qu'il me ferait changer, moi. Elle poussa un soupir encore plus grand. Mais apparemment un mariage ne fonctionne pas comme ça. Les gens ne changent pas, sauf un peu en surface. Et j'ai donc été très malheureuse. Vivre avec Daniel, c'était comme vivre sur le fil d'un rasoir. Je ne savais jamais ce qu'il risquait de faire. Elle étendit les bras, presque comme le faisait Daniel quand il se mettait à parler d'elle. A la fin, vous savez, ce n'était même pas son irresponsabilité qui m'ennuyait le plus, c'était l'embarras. L'embarras terrible, si éprouvant, que je ressentais lorsqu'il faisait toutes ces choses scandaleuses.

Derrière la chaise de sa mère, Lydia ouvrit brutalement et ostensiblement un livre de français et se boucha les oreilles. Elle se sentait soudain réellement furieuse contre son père et voulait qu'il le sache. Le fait que sa mère ouvre si franchement son cœur, en toute confiance, et ne réalise pas que c'était à Daniel qu'elle parlait, la choquait et lui semblait profondément blessant. C'était une trahison mesquine, songeait-elle, exactement comme le faux baiser dans l'autobus, et elle ne voulait plus y être mêlée.

Sentant la répugnance de sa fille, Daniel tenta de mettre fin rapidement à cette conversation.

— Toutes ces histoires se sont passées il y a des années, mon petit. Et cela fait très longtemps que vous êtes divorcés. C'est fini à présent.

— Fini ? Miranda se leva brusquement, balayant sa tasse de thé de l'accoudoir où elle était posée. Fini ? Mais ce n'est jamais fini ! C'est même pire ! Il se conduit toujours aussi mal, et je n'ai plus aucun signe pour m'alerter, ni aucun contrôle sur ce qu'il fait, et pas même la possibilité de lui dire ensuite ce que je pense de lui !

Elle traversa la pièce à grandes enjambées. L'espace d'un horrible instant, Daniel crut qu'elle allait le frapper. Mais elle vint se pencher sur la bibliothèque, juste à côté de lui.

— Fini, vraiment ! Regardez un peu ce que M. Hooper, notre voisin, m'a apporté tout récemment !

Elle tirait sur quelque chose qui était coincé derrière la bibliothèque.

— Regardez-moi ça ! Peint par ma propre voisine !

Elle tirait et tirait, mais visiblement le dessin avait été enfoncé derrière la bibliothèque avec une telle force qu'il était difficile de l'en déloger. Le souvenir qu'avait Mlle Doubtfire des efforts inachevés que Mme Hooper avait rapportés du cours d'art n'était que trop vivace, et elle demanda d'une voix tendue :

— Croyez-vous que ce soit sage, mon petit ? Devant les enfants...

Miranda l'ignora. Elle secouait furieusement la bibliothèque. Et finalement, fut extirpé ce chef-d'œuvre, le plus accompli de ceux qu'avait réalisés Mme Hooper.

Il ne fallut à Daniel qu'un coup d'œil éphémère pour ressentir au plus profond de lui-même la mortification la plus totale. Cette peinture était

révoltante. Elle le représentait dégingandé, dis-
gracieux, et donnait à croire que trois de ses
quatre membres étaient horriblement difformes.
Sa peau avait par endroits une vilaine couleur
puce. Ailleurs elle était du plus virulent des
cyclamen. Ses pieds semblaient monstrueux, on
eût dit deux bosses sans aucune forme. Mais le
pire de tout était qu'il fût représenté tel qu'il avait
posé, tout nu. Il voulut ne pas regarder. Mais il
fallait qu'il regarde. Là, nichées entre les touffes
de broussaille rousse anormalement fournies
dont Mme Hooper, d'un geste aussi généreux
que bâclé, avait doté le centre de son anatomie, là
il y avait les parties les plus intimes de son corps,
exposées, pour ne pas dire mises en vedette,
tristes protubérances pâles et rabougries.

— Mon Dieu ! s'exclama-t-il d'une voix
rauque, choqué outre mesure.

— Exactement ! fit Miranda triomphante.
Qu'est-ce que les gens vont penser ?

Mlle Doubtfire serra convulsivement son sac
contre elle.

— Vous ne songez pas à l'*exhiber* tout de
même, mon petit ?

Lydia se mit à rire.

— Pourquoi pas ? fit-elle. Maman devrait l'accrocher au-dessus de la cheminée. On dit tou-

jours qu'après un divorce, il est bon que les enfants voient leur père le plus possible.

Christopher se tordit de rire. Natalie sembla déconcertée.

— Ce n'est pas drôle, gronda Miranda. Ce n'est absolument pas drôle. Et pour couronner le tout, j'ai découvert ce matin qu'il me fallait souffrir les pitreries de votre père *dans ma propre maison !*

Il y eut un silence frappé d'horreur. Était-il possible qu'elle les eût tous percés à jour ? Était-il possible que Miranda sût déjà ?

Assurément, elle était hors d'elle.

— C'est ça ! Vous pouvez avoir l'air choqué ! Il va se tenir debout ici, sur ce tapis, entièrement nu ! *Impudemment !*

— Moi... je... Il va quoi ?

— Vous avez bien entendu. Et je ne vois aucune solution pour l'en empêcher. J'ai été assez bête pour promettre à Mme Hooper que, dans le cas où elle aurait encore des ouvriers chez elle lorsque le collège d'art fermerait pour les vacances, sa classe pourrait se réunir ici !

Ces mots laissèrent Mlle Doubtfire plus qu'un peu déconcertée. Elle dit d'un ton ferme :

— Il doit y avoir un autre endroit où ils puissent se réunir, mon petit.

Miranda grimaça.

— C'est ce que vous croyez. Mais voyez-vous, il semble que tous les membres de cette classe vivent dans des tranchées, des roulottes ou des péniches ! Sa lèvre se plissa en une moue dédaigneuse, tandis qu'elle ajoutait : Enfin, pour ceux qui ne vivent pas à l'Armée du Salut.

Daniel regrettait amèrement le réflexe peu généreux qu'il avait eu, un peu plus tôt, au cours de dessin, lorsqu'on avait demandé des volontaires pour accueillir la classe chez eux. Il n'aurait jamais dû affirmer qu'il vivait sur une péniche.

— Alors ils vont tous venir ici ?

— Mardi matin, à dix heures.

Mlle Doubtfire permit à sa vaste poitrine de laisser échapper un soupir rude. Dans cette confusion bouillonnante, il lui restait encore une bouée de sauvetage :

— C'est une chance pour moi que je ne vienne jamais avant quinze heures le mardi, mon petit. Je n'aurai pas à être mêlée à tout cela.

— Oh mais si !

— Mais, mon petit, j'ai d'autres obligations le mardi matin.

— Mlle Doubtfire, je compte sur vous, insista Miranda. Il n'est pas question que je reçoive cette bande dans ma maison, s'il n'y a pas en même temps quelqu'un en qui je puisse avoir une confiance totale.

— Mais, mon petit, je ne suis pas du tout certaine que...

Miranda mit fin aux tentatives désespérées de son employée, avec toute l'autorité de la personne qui paie régulièrement.

— Voyons Mlle Doubtfire, nous étions convenues dès le début que vous seriez de garde, en dehors de vos horaires, si jamais les enfants étaient malades, si j'attendais une livraison, ou si l'école était en grève. Il faut qu'il y ait quelqu'un ici. Vous ne *pouvez pas* m'abandonner.

Mlle Doubtfire se débattait intérieurement pour trouver une excuse à la fois suffisante et acceptable, qui lui épargnerait le dilemme d'avoir à offrir des tasses de thé dans un coin de la pièce, tout en restant debout toute nue dans l'autre coin.

— Mais mon petit, pour moi, cette façon d'exhiber sa nudité...

— Je comprends, dit Miranda. Elle désigna dédaigneusement la peinture appuyée contre l'étagère. Regardez ça. C'est grotesque. *Grotesque !*

Elle s'en empara brusquement.

— En fait, je ne peux plus supporter cette

chose, annonça-t-elle. Je vais la mettre à la poubelle. C'est sa place.

Et tandis qu'elle s'éloignait dans le couloir, on put l'entendre distinctement ajouter :

— Et à lui aussi !

Lydia et Christopher regardèrent leur père, l'air curieux, pour glaner une indication sur ce qu'il comptait faire pour se tirer de cette épouvantable situation. Mais Daniel était ailleurs. Aux derniers mots de Miranda, ses yeux étaient devenus deux fentes sombres, et il avait tiré d'une des poches de sa volumineuse jupe de tweed un lance-pierres imaginaire. Il s'approcha de l'encadrement de la porte et visa soigneusement. Lorsqu'il fut certain que son ex-femme fût dans son angle de tir, dans l'alignement du couloir, il étira à son maximum l'élastique imaginaire et laissa partir sa pierre imaginaire.

Quand il se retourna, ses trois enfants le regardaient avec des visages sévères.

Ce fut l'aînée qui finalement brisa le silence de plomb.

— Pas ici, papa, le réprimanda Lydia. (Si sa voix était tout à fait calme, elle portait indubitablement l'empreinte de la fermeté de sa mère.) Pas ici, dans sa propre maison. S'il te plaît.

— Désolé, lui dit-il. Désolé, Lydia.

VII

DU MÉTIER D'ACTEUR,
DES COCHONS HEUREUX,
ET DE LA GUERRE

De l'avis de Daniel, l'excursion au théâtre ne fut pas un grand succès. Lorsqu'il réalisa qu'il était temps d'aller chercher des billets au théâtre, les seules places qu'il restait était celles que le monsieur, au bureau de la location, désignait selon une formule inquiétante comme offrant une « visibilité réduite ». Mais elles n'étaient pas chères, et Daniel souffrait encore de l'insinuation de Miranda selon laquelle il ne pourrait pas avoir de places du tout. Il les acheta donc.

Malheureusement, les quatre places n'étaient pas toutes ensemble. Il s'avéra que deux d'entre elles étaient situées juste derrière le pilier de gauche, et les deux autres derrière le pilier de droite. Daniel s'irrita de ne pouvoir être près de ses trois enfants – ce genre d'occasion était si rare – et il s'irrita encore davantage, de voir que cela ne semblait pas affecter Lydia et Christopher. Ils s'éloignèrent gaiement, et après une discussion pour déterminer qui des deux avait la meilleure vue — discussion nécessitant une brève succession d'expériences avec un programme roulé en guise de longue-vue — chacun choisit son poste d'observation d'un côté ou de l'autre du pilier. Daniel remarqua qu'ils regardaient attentivement devant eux, bien avant que le rideau de fer ne soit levé.

Ce fut beaucoup plus difficile pour Natalie et lui. Leur vue de la scène n'était pas seulement réduite par la large colonne de marbre, mais également par les chevelures volumineuses d'un couple d'étudiants. Elles bouchaient entièrement le champ de vision de Natalie, et lorsque la lumière inonda la scène, elle se tortilla désespérément sur son fauteuil de velours, se hissant pour tenter d'apercevoir quelque chose. Son fauteuil grinçait horriblement. Lorsqu'il voulut glisser sur le côté pour changer de place, Daniel s'aperçut que le sien n'était pas plus discret. Et finalement, après des regards de réprobation prolongés de la part des voisins de Natalie les moins charitables, il dut se résoudre à lui offrir un perchoir plus calme, sur ses genoux. Natalie passa son bras autour de son cou, l'étranglant à moitié.

La pièce commença. Une minute plus tard, Natalie avait glissé son pouce dans sa bouche, ses paupières s'alourdissaient, et elle tortillait une mèche de cheveux de Daniel dans ses doigts. Avant même que les premiers éléments de l'intrigue ne soient posés, elle dormait profondément. Daniel fut presque tenté de la réveiller – les places n'étaient pas chères, mais tout de même… – mais la prudence l'emporta. Natalie était devenue une masse inerte dans ses bras, et il fut contraint de compenser par une contorsion atroce de sa colonne vertébrale pour pouvoir apercevoir quelque chose.

Daniel se dit que cette pièce ne se révélait absolument pas appropriée à un public familial, et à la fin, il était bien content que Natalie ait dormi pendant tout le spectacle. Des scènes de disputes se succédaient, dont certaines dépassaient franchement les limites du désagréable. Il s'agissait de deux ménages, l'un heureux, l'autre malheureux, qui se débattaient dans une intrigue tortueuse, faite d'incompréhension, de méchanceté, et de rancunes profondes. Même le couple heureux finissait par devenir hargneux, au milieu de toutes ces tensions. Quant au couple malheureux, qui avait commencé à se manger le nez, pour ainsi dire avant même le lever du rideau, il en était venu aux mains à la fin du premier acte.

Les lumières se rallumèrent. Daniel chercha Lydia et Christopher du regard. Ils semblaient rivés à leurs fauteuils, les yeux toujours fixés sur le rideau. Il se passa un certain temps avant que l'un d'eux ne fasse un mouvement. Visiblement, cette peinture si vivante des querelles conjugales avait requis toute leur attention. Daniel se sentit envahi d'un léger malaise. Avec une sorte de prescience, il comprit que rester jusqu'à la fin de la pièce s'avérerait une erreur.

Mais Natalie dormait toujours d'un sommeil de plomb dans ses bras, l'empêchant de quitter son siège. Daniel se dit que Lydia et Christopher viendraient le rejoindre pendant l'entracte, ne fût-ce que pour pleurnicher pour avoir un Esqui-mau. Mais il se trompait. Ils restèrent assis, sans même se tourner pour le regarder, les yeux bra-qués sur le rideau de fer, comme s'ils craignaient que le second acte puisse débuter sans qu'ils s'en aperçoivent.

L'entracte fut court, et le second acte long. La torsion qu'imprimait Daniel à son dos lui causait une douleur affreuse. Les torrents d'injures qui se succédaient sur scène lui rappelaient ses années de mariage, et il se sentit malheureux. Chaque fois qu'il regardait en direction de Lydia et Christopher et voyait leurs profils absorbés, il se rendait malade d'inquiétude en imaginant ce que Miranda — de retour d'une épuisante journée à

Wolverhampton — penserait du compte rendu qu'ils lui feraient de cette pièce, pour laquelle leur père avait osé bouleverser son sacro-saint calendrier.

A la fin de la pièce, Daniel avait le bras et la jambe gauche si engourdis qu'il se trouvait incapable de déplacer Natalie pour se lever. Il resta assis, prisonnier, jusqu'à ce que Lydia et Christopher le rejoignent.

— C'était *génial,* haleta Christopher. Totalement *génial.*

Dans le vocabulaire de Christopher, le mot génial correspondait au plus haut niveau d'enthousiasme.

Daniel était abasourdi. Il se tourna vers Lydia, et lui demanda :

— Et toi, comment as-tu trouvé la pièce ?

Lydia fut aussi généreuse, dans son éloge, que l'avait été Christopher :

— *Épatante !* C'est la meilleure pièce que j'aie jamais vue !

Christopher se retourna encore vers le rideau de fer.

— Je ne sais pas comment les deux qui se détestaient ont pu réussir à se donner la main pour le rappel. J'ai cru qu'il allait lui arracher les oreilles, quand elle lui a souri comme ça, juste après lui avoir dit toutes ces choses horribles ! L'acteur-au-chômage-Daniel sentit une pointe de jalousie lui transpercer l'estomac. Visiblement, le couple d'acteurs avait subjugué cette fraction de leur public.

— C'est ça, le *théâtre*, murmura-t-il.

C'est à peine si Christopher entendit la remarque de son père.

— C'était facile, tout de même, pour l'autre couple. On voyait bien qu'ils étaient très bons amis.

Daniel se sentait d'assez mauvaise humeur pour avoir envie de le contredire.

— On ne voyait rien du tout ! Le théâtre, c'est le *théâtre*. C'est un métier. Tout ce que sait le public, c'est que ces deux couples pourraient être mariés dans la réalité. Ceux qui paraissent heureux pourraient parfaitement passer leur temps à se battre comme des chiffonniers chez eux, comme l'autre couple sur scène. Et ceux qui se disputent pourraient être les meilleurs époux du monde l'un pour l'autre.

— Allons, papa !

Même Lydia se montra sceptique.

— Ça, ça m'étonnerait.

La salle était vide à présent. Des ouvreuses erraient entre les rangées de fauteuils, à la recherche de sacs à main égarés, et de parapluies abandonnés. Daniel mit Natalie sur ses pieds, et l'aida à se tenir debout, tandis qu'elle se réveillait.

— C'est ça, le *théâtre*, répéta-t-il. Lorsqu'on est un acteur, on *joue la comédie*. C'est ce que l'on nous apprend à faire. C'est ce pour quoi nous sommes payés. Nous n'avons pas besoin de ressentir les sentiments exprimés. Nous jouons simplement le rôle. C'est tout.

Ni Lydia ni Christopher ne répondit. Ils avaient tous deux compris qu'ils venaient de toucher un point sensible chez leur père. Lydia s'affaira auprès de Natalie, encore ensommeillée et qui titubait un peu ; elle lui prit la main et la conduisit le long de la rangée de fauteuils, jusque dans l'allée.

Plein d'amertume, Daniel suivit ses enfants hors du théâtre, dans la lumière de l'après-midi.

— Qu'est-ce que c'était bien ! dit Christopher qui clignait des paupières, en s'apercevant qu'il faisait encore jour. Est-ce que c'est l'heure de rentrer à la maison ?

Le fait que pour les enfants « la maison » signifie obligatoirement la maison de Miranda avait toujours profondément blessé Daniel.

Irrité, il décida de prendre cette phrase au pied de la lettre.

— A la maison, dit-il. C'est cela.

Les enfants se rassemblèrent pour traverser la rue et prendre un bus en direction de Springer Avenue. Daniel fit comme s'il les conduisait vers un meilleur endroit pour traverser et les dirigea adroitement vers l'arrêt de sa propre ligne. Comme un autobus venait se ranger contre le trottoir, il monta à bord.

— Montez ! les encouragea-t-il de la plate-forme, l'air innocent. Ce bus va à la maison.

Pour Natalie, tous les bus se ressemblaient. Elle grimpa donc à bord. Christopher eut un petit instant d'hésitation, mais comme il ne voulait pas blesser son père après cet après-midi de fête, il suivit Natalie. Lydia réprima une grimace de contrariété et monta à son tour.

Le trajet en autobus ne fut pas des plus gais. Natalie était encore maussade après son somme. Les deux autres commençaient à s'inquiéter. Lydia essayait de se rappeler où se trouvait Wolverhampton exactement, afin de pouvoir déterminer si sa mère était déjà rentrée, et si oui, depuis combien de temps elle les attendait. Christopher imaginait la scène qui aurait lieu lorsque Daniel les ramènerait enfin chez eux. Il songea avec amertume que ce serait un peu comme un troisième acte à la pièce qu'ils venaient de voir.

Il y réfléchissait encore tandis que Daniel ouvrait la porte de son appartement et que Natalie filait entre ses jambes en direction de la télévision, pour voir les dernières minutes de son dessin animé préféré.

Il se tourna alors vers son père et lui dit :

— S'il s'agit juste de jouer la comédie, comme tu dis, et puisque tu es un acteur, tu aurais certainement pu faire comme si tout allait bien et rester dans la famille.

Dans le salon, Lydia s'arrêta net, et revint sur ses pas pour écouter, en fermant la porte entre Natalie et eux.

Christopher défiait son père.

— Tu aurais pu, non ?

— Oui, je suppose que j'aurais pu, répondit froidement Daniel.

Et il fit comme s'il se rendait à la cuisine, mais Christopher lui, ne bougea pas.

— *Si* tu l'avais fait, il n'y aurait pas eu toutes ces horribles disputes. Et tu n'aurais peut-être pas eu besoin de faire tes valises et de partir.

— C'est possible, admit Daniel.

— A cette époque-là, tu ne travaillais pas au théâtre régulièrement, non ?

— Non. Daniel commençait à s'énerver, à présent.

Mais Christopher semblait ignorer délibérément l'avertissement dans la voix de son père, car
il insista :

— Alors ce n'est pas comme si tu avais dû passer toutes tes journées à jouer la comédie.

Lydia corrigea son frère :

— Toutes les soirées, tu veux dire, les vrais
acteurs ne jouent que le soir, en général.

Elle tentait seulement d'éloigner la conversation de la zone dangereuse, mais cette malen-
contreuse référence aux « vrais acteurs » avait —
elle le réalisa soudain, atterrée — ravivé la blessure
de la jalousie, engendrée chez son père par le
spectacle.

De toute façon, Christopher était bien trop
occupé à exposer son idée, pour accorder quelque attention à la lueur inquiétante qui brillait
dans les yeux de son père.

— Alors, ce n'est pas comme si tu étais épuisé
d'avoir joué la comédie tous les soirs. Tu aurais
pu aussi jouer un peu la comédie le reste du
temps.

— J'aurais peut-être pu.

Le ton de Daniel avait dangereusement mué,
mais Christopher ne s'en préoccupait toujours
pas.

— Ça n'aurait pas été si dur que ça, non ? Tu

dis toi-même que c'est une question de métier, et qu'on n'a pas besoin de ressentir les vrais sentiments. « On joue simplement la comédie », c'est ce que tu as dit.

— Oui, c'est ce que j'ai dit.

Les yeux de Daniel s'étaient rétrécis, et son visage avait cet air sombre et crispé qui, pour Lydia, était associé aux batailles de son père contre Miranda.

— Mais tu n'as pas essayé de faire ça, à la maison ?

— Non. Non je n'ai pas essayé.

— Christopher — l'avertit Lydia, mais il l'entendit à peine.

— *Si* tu t'étais donné la peine de jouer un peu la comédie à la maison, disait-il lentement, peut-être que tu n'aurais jamais eu besoin de partir. Il n'y aurait peut-être pas eu de séparation, ni de divorce, et nous serions peut-être encore tous ensemble, comme une vraie famille.

— C'est possible, répliqua Daniel d'un ton cassant. (Il avait perdu tout sang-froid, à présent.) Et j'aurais peut-être fini enfermé dans un cabanon, à me taper la tête contre les murs !

— Pourquoi ? fit Christopher avec la même fausse innocence que son père lorsqu'il les avait invités à prendre le mauvais bus, une demi-heure plus tôt. Après tout, jouer la comédie, c'est simplement un métier. C'est toi-même qui l'as dit.

Daniel agrippa son fils par les épaules avec force, et le plaqua contre le mur.

— *Parce que*, espèce de petit salaud, hurla-t-il, comme tu le sais très bien, le travail c'est le travail et la réalité c'est *la réalité !*

Christopher retint son souffle, trop effrayé pour même songer à se dégager. Lydia eut l'impression qu'une éternité s'était écoulée avant que son père ne relâche sa prise, et n'enlève ses mains des épaules de Christopher. Il fourra ses poings au plus profond de ses poches, comme pour se retenir de frapper son fils.

Terrifié, Christopher tenta de se rétracter.

— Je suis désolé, fit-il. Je ne pensais pas ce que j'ai dit. Je t'assure.

Mais Daniel démolit ses misérables excuses.

— Oh, si. Tu en pensais chaque mot, espèce de *vermine*. Tu penses que j'aurais dû rester dans cette satanée maison, jour après jour, semaine après semaine, année après année, à vivre une abrutissante vie de mensonge avec ta mère, en faisant comme si c'était du travail d'acteur non payé !

— Et *pourquoi pas ?*

Bizarrement, cette question venait de Lydia.

Daniel se figea.

— *Pourquoi pas ?*

— Oui, pourquoi pas. Tu nous avais, nous. C'est ton rôle de tenir jusqu'au bout. Tu ne peux pas simplement arrêter d'être un père, lorsque tu décides que tu ne peux plus vivre avec ta femme !

Daniel était littéralement hors de lui.

— Comment oses-tu dire cela ? cria-t-il. Je n'ai jamais, jamais cessé d'être votre père. Je suis là, non ? Par tous les temps ? Coincé dans ce bled minable, sans travail et sans avenir, uniquement pour être près de vous trois, rien que pour vous voir deux fois par semaine, pour rester votre foutu père ! J'aurais pu partir à Londres, vous savez ! Il y a plus d'un théâtre, là-bas ! J'aurais pu trouver du travail ! Mais non, je suis resté ici, à tourner en rond tout seul. Ne me dis jamais plus que j'ai cessé d'être votre père, Lydia ! J'ai été un aussi bon père que je le pouvais.

Et il ajouta d'un ton profondément amer :

— Enfin, un aussi bon père qu'on m'a autorisé à l'être...

Lydia le savait, cette colère n'était plus dirigée contre elle. Et comme elle voulait comprendre, elle décida d'insister.

— Mais pourquoi être *parti* ? Tu dis toi-même que tu tournes en rond tout seul. *Pourquoi* tu n'as pas simplement joué la comédie, comme dit Christopher ?

Daniel s'arracha les cheveux.

— Parce que je suis un être humain, voilà pourquoi ! Regarde-moi ! Je suis *réel*. Je mange. Je respire. Je pense. J'ai des sentiments. Je n'ai qu'une seule vie et je veux la *vivre*, pas en jouer une autre parce qu'elle me causerait moins de problèmes. Je ne suis pas un cochon heureux !

Mais Lydia n'était pas prête à s'accommoder d'une explication aussi frivole, mettant en scène des cochons heureux.

— Qui parle de cochons heureux ? Et de toute façon, qu'est-ce que les cochons heureux viennent faire là-dedans ?

Christopher laissa échapper un rire nerveux, à la simple allusion à des créatures aussi étranges. Il était encore sous le choc et ne pouvait s'en empêcher. Daniel se retourna vivement, et saisit à cet instant une lueur de terreur dans les yeux de son fils. Impressionné de voir à quel point un bref accrochage avec un père, certes beaucoup plus fort physiquement, pouvait ôter tout courage à un garçon, il tendit la main à son fils, décidé à faire la paix avec lui, et à tout arranger.

Il prit chacun de ses aînés par les épaules, et les emmena au salon, où Natalie assise devant la télévision, les genoux ramenés sous le menton, semblait captivée par les grands moments du championnat de bowling.

Délicatement, il lui enleva les doigts qu'elle s'était enfoncés dans les oreilles.

— C'est fini la dispute, Natty, lui assura-t-il.

Mais la querelle avait semblé si violente, malgré la porte close, que Natalie regardait encore Daniel avec un air soupçonneux.

— Tu ne te fâches plus contre Christopher ?

— Je ne me fâche plus contre Christopher.

— Et tu n'es plus en colère contre les cochons heureux ?

— Plus en colère contre les cochons heureux.

— Au fait, qu'est-ce que c'était toute cette histoire de cochons heureux ? demanda Lydia.

Daniel essaya de lui expliquer.

— C'est simplement que certaines choses sont *importantes*. Les gens savent qu'il faut souffrir pour elles. C'est ainsi que certaines personnes voient la vie. « Il vaut mieux être un poète insatisfait », a dit un grand philosophe, « qu'un cochon satisfait ».

Les enfants restèrent songeurs.

— Je *crois*, que je choisirais d'être le poète... admit Lydia au bout d'un moment.

— Moi aussi, approuva Christopher, de mauvaise grâce.

— Moi, je choisis le cochon, dit Natalie. Je choisis tout de suite le cochon. J'aime les cochons, et tu as dit qu'il était heureux.

— Mais certaines personnes ne peuvent pas être heureuses, si la vie qu'elles mènent n'est pas réelle, dit Daniel, et non simplement une comédie, comme sur une scène, pour éviter les querelles et les ennuis. Et je suis comme ça. Plutôt que de passer mes jours à jouer la comédie afin de mener une vie tranquille, je préfère ne pas faire semblant, même si cela doit m'attirer les pires ennuis.

— Ainsi qu'aux autres ?

A Natalie aussi, alors. A quoi pensait-elle tandis qu'elle attendait en se bouchant les oreilles ?

— Je suis désolé, dit-il à Natalie, à tous les trois. Je suis vraiment, vraiment désolé.

Natalie soupira.

— Ne t'inquiète pas, le consola-t-elle. Ce n'est pas trop grave.

— Non, approuva Christopher, généreux. Ce n'est pas trop grave.

— Lydia ?

Lydia pensait que ce n'était pas dans le rôle d'un père de quémander l'absolution de cette façon. Mais elle en avait assez de toutes ces histoires. Les choses étaient ce qu'elles étaient. Et pour conserver la paix, elle approuva à son tour :

— Non, ce n'est pas trop grave.

— Mais je suis quand même désolé...

— Non, ça va, honnêtement.

— Oui.

— Mais...

— Mais ?

— Rien.

— *Quoi* ? (Daniel s'énervait de nouveau.) Tu allais dire quelque chose. Qu'est-ce que tu allais dire ?

Lydia leva les yeux au ciel, comme pour y chercher de l'aide.

— J'allais simplement dire que, puisque nous sommes obligés de tous partager les problèmes, ça serait peut-être bien si nous trois, nous n'avions pas à jouer *nous aussi* la comédie chaque jour.

— Jouer la comédie ? Vous trois ? Comment ça ?

Lydia haussa les épaules.

— Mlle Doubtfire...

— Mlle Doubtfire ?

— Oui, Mlle Doubtfire.

Pour éviter que Daniel interprète mal ces paroles, Lydia se jeta dans une explication.

— Oh, je sais que c'est uniquement pour nous que tu as fait cela. Nous ne l'avons pas oublié. Mais ce n'est pas *bien*.

Ses doigts se crispèrent, tandis qu'elle cherchait les mots justes pour lui faire comprendre.

— C'est plus facile pour toi, tu vois. C'est comme un jeu. Tu pars à 7 heures moins dix tous les soirs, et tu peux de nouveau être toi-même toute la nuit, et toute la journée du lendemain, jusqu'à l'heure où tu reviens. Nous, nous sommes obligés de rester là-bas.

— C'est difficile ?

— Ce n'est pas seulement *difficile*, l'informa Lydia. C'est presque *impossible*. Elle pointa un doigt significatif en direction de Natalie. Certaines personnes n'essaient même plus. Et il n'y a pas que ça. En fait cela n'en vaut même pas *la peine*. Après tout, ce n'est pas comme si Mlle Doubtfire c'était toi. Ce n'est pas comme lorsque nous te voyons ici, ni lorsque nous passons vraiment du temps avec toi. Parce que tu ne peux pas être papa. En fait, on peut presque dire que, malgré tous ces efforts que tu as faits pour acheter des vêtements, faire des turbans, et jouer toute cette comédie pour nous, ça ne *compte pas*.

Daniel faillit l'interrompre, mais il se ravisa. Lydia poursuivit :

— Au début, je n'arrivais pas à comprendre ce qui n'allait pas. Je le sentais bien, mais je ne savais pas pourquoi. Mais c'est peut-être exactement le problème que tu as eu toi, le problème du cochon heureux. Comme Mlle Doubtfire n'est pas vraiment toi, elle ne vaut pas la peine.

— C'est ce que j'ai senti moi aussi, s'écria Christopher. *Et* je n'ai pas l'impression de te voir beaucoup plus qu'avant, non plus. Il haussa les épaules. De toute manière je préfère te voir ici, dans tout ton — en garçon bien élevé, Christopher s'abstint de dire « foutoir » — avec toutes tes affaires.

— Vous venez encore, fit remarquer Daniel. Vous êtes là, maintenant, n'est-ce pas ?

L'inquiétude de Christopher se raviva.

— Oui, dit-il, et nous devrions rentrer.

— Je suis certaine que Wolverhampton est tout près d'ici, vraiment, dit Lydia.

Le visage de Natalie changea brusquement.

— Est-ce que maman nous attend ? demanda-t-elle anxieuse.

Ce fut la sonnerie du téléphone qui lui répondit.

— C'est ce qu'elle appelle attendre ! grogna Daniel. Ce n'est pas le genre de votre mère d'attendre patiemment. Vous voyez ! La voilà qui vous ordonne déjà : « A la maison ! »

Il se leva.

— J'y vais, leur dit-il. Je vais vous faire une

démonstration d'acteur, meilleure que tout ce que vous pourrez voir dans un théâtre.

Il sortit en maintenant la porte ouverte du talon de sa chaussure, et revint dans la pièce, le téléphone à la main. Il décrocha.

Les enfants qui écoutaient cette moitié de la conversation n'avaient aucun mal à deviner la teneur de l'autre moitié.

— Mandy ! Je suis *content* de t'entendre. Quelle bonne surprise ! Je te croyais toujours coincée dans quelque embouteillage à Wolverhampton... Quoi ? Déjà 7 heures ? *Noon !* Mais oui, Mon Dieu... Tu veux qu'ils reviennent tout de suite ? Oui, c'est ce que tu veux, *bien sûr.* C'est ton week-end après tout... Et, non, je n'oublierai pas leurs manteaux cette fois, non plus... Oui, je comprends très bien. Tu viens de passer des heures au volant, et tu n'as pas envie de ressortir maintenant... Oui, je me rends bien compte que ce n'est pas ta faute si mon emploi de modèle ne me permet pas de m'offrir une voiture, mais je ne vois pas très bien... *Quoi ?* Tu as commandé un taxi qui doit venir les chercher ici ? Et tu penses que c'est à moi de le payer... ? Eh bien puisque tu m'en parles, pas beaucoup effectivement, surtout après avoir acheté toutes ces places de théâtre... Oui, *j'aurais peut-être dû* y

172

penser avant, mais je ne l'ai pas fait. Quoi ? Pas la peine ? Que t'a dit Mme Hooper ? *Je n'aurais pas pu trouver une pièce moins appropriée pour des enfants ?* C'est ça qu'elle a dit ? Oh, mon Dieu... Je suis navré, Miranda... Oui, Miranda... Oui, Miranda... Désolé, Miranda... Oui, au revoir, Miranda...

Épuisé, Daniel tendit le récepteur à Lydia.

— Tiens, ta mère veut te dire un mot.

Lydia prit le récepteur, et Daniel se mit à faire les cent pas dans la pièce, en marmonnant : « Oui, Miranda... D'accord, Miranda... Bien sûr, Miranda... Tu as tout à fait raison, Miranda... Tout ce que tu veux, Miranda... Oh, quel beau cochon heureux je fais, Miranda... »

Ce qu'ils entendaient de la conversation entre Lydia et sa mère était à peu près du même cru.

— Oui, maman... Non, maman... Oui, nous allons surveiller par la fenêtre... Non, je ne le laisserai pas oublier les manteaux... Oui, je vais lui dire... Non, je ferai attention à ce qu'il n'oublie pas... Non, maman... Oui, maman... Eh bien en fait, ça m'a beaucoup plu. C'est ça, à tout de suite. Au revoir, maman.

Daniel était absolument scandalisé.

— Ça m'a beaucoup plu ? *Ça m'a beaucoup*

plu ? « Épatant », tu as dit. « *La meilleure pièce que tu aies jamais vue !* »

Christopher sourit :

— Lydia a peut-être hérité de ton don pour la comédie.

Lydia semblait songeuse.

— Effectivement, dit-elle, ce n'était pas un coup de téléphone très vrai, non ? Pas plus que celui de papa, en fait.

— Regarde le bon côté des choses, lui dit Christopher. Tu t'en es bien sortie.

— Heureuse comme un cochon, fit Natalie.

Seule Lydia ne sourit pas.

— Et si nous arrêtions, *tous.*

— Arrêtions ?

— Arrêtions tous quoi ?

— De jouer la comédie. Et d'être des cochons heureux. Nous pourrions tous dire ce que nous pensons vraiment.

— Si tout le monde faisait ça, avertit Daniel, la terre ressemblerait vite à une réserve d'ours sauvages.

— Noon !... Cette idée fascina Natalie.

Elle était toujours assise, le menton sur les genoux, tentant d'imaginer cette réserve d'ours, lorsque le taxi arriva. Daniel mit son dernier billet dans la main de Lydia.

— Je te rapporterai la monnaie la semaine prochaine, lui assura-t-elle.

— Nous nous voyons lundi, rappela Daniel.

— Oh, oui ! Bien sûr !

Et elle courut pour rejoindre les autres dans les escaliers.

Daniel se dirigea vers la fenêtre et l'ouvrit. Christopher et Natalie venaient juste de s'engouffrer dans le taxi.

Daniel cria à Lydia :

— Tu réalises bien que si tu parles sérieusement, si tu ne veux plus qu'il y ait de comédie, ni de cochons heureux, Mlle Doubtfire devra donner sa démission ?

Derrière la vitre du taxi, Lydia lui répondit par un signe, elle semblait presque joyeuse.

— Nous chercherons un autre moyen pour te voir un peu plus, cria-t-elle.

— Il n'y a *qu'un seul* autre moyen, l'avertit Daniel.

— Lequel ?

— Je te le dirai lundi, cria Daniel.

Comme le taxi démarrait, Daniel fit glisser devant lui un panneau imaginaire, et fit mine de composer sur un clavier un code secret imaginaire. Puis tel un chef d'armée, il attendit que s'ouvrent les portes de son arsenal.

— La guerre, dit-il doucement. La guerre totale.

Et il suivit du regard ses ogives imaginaires, qui s'éloignaient à l'horizon, en direction de Springer Avenue.

VIII

C'EST DRÔLE,
C'EST EXACTEMENT
CE QUE DIT TOUJOURS
MAMAN

Dans le bus qui l'emmenait vers Springer Avenue, Daniel ne cessait d'admirer la lettre par
laquelle Mlle Doubtfire signifiait son congé. Il
avait trouvé dans le fond d'un tiroir, du papier à
lettres rose pâle, qui lui avait été offert pour Noël
par Natalie, deux ans auparavant. Les feuilles
étaient bordées de pensées qui, si elles étaient
imparfaites sur le plan botanique, n'en étaient pas
moins pittoresques. La lettre était couverte d'une
écriture démodée, toute en courbes et en
boucles, qui lui avait demandé toute une soirée.
Les formules qu'elle prodiguait étaient aussi
démodées et tortueuses :

Conformément à notre engagement verbal de
nous donner deux semaines de préavis... des cir-
constances imprévisibles d'ordre majeur, tout à
fait regrettables... cesse de me considérer à votre
service à compter de vendredi en huit... me dois
de vous dire à quel point j'ai apprécié la compa-

gnie de vos délicieux enfants... me permets de suggérer que des contacts plus fréquents avec leur père leur seraient sans doute bénéfiques... espère que cette rupture prématurée de notre arrangement mutuel ne vous incommodera pas autant qu'elle m'attriste... ma considération la plus sincère...

Et enfin, ornée des plus belles fioritures que Daniel avait inventées, et dont il était particulièrement fier, la signature :

Votre dévouée,
Euphémia D. Doubtfire

Oui, c'était sans nul doute une excellente lettre de démission : sensible, résolue – et inexplicable. Daniel la replia avec soin et la glissa de nouveau dans son enveloppe infestée de pensées, tandis qu'il descendait du bus. Une question l'absorbait : il était certain que dès que les enfants verraient la lettre, ils se mettraient à l'implorer de leur révéler le deuxième prénom de Mlle Doubtfire. Or, Daniel hésitait. Serait-ce Daphnée ? Désirée ? Ou, ce qui était tout de même plus banal : Dolorès ? Difficile de choisir... Il était encore plongé dans ces réflexions lorsque le souffle de l'échappement du bus qui redémarrait dérangea le boa de plumes autour de son cou. Comme Daniel tentait de récupérer les extrémités qui flottaient dans son dos, il oublia de jeter un œil prudent dans le jardin des voisins. Grave erreur. Il avait à peine posé le pied dans l'allée de Miranda, que Mme Hooper lui tomba dessus.

Le visage rond et rougeaud, encadré par un enchevêtrement de boucles grises, se montra sans crier gare, au-dessus de la barrière.

— Oh, mademoiselle Doubtfire ! Regardez-les ! Regardez-les ! Qu'est-ce qu'on peut bien faire ?

Contraint de s'arrêter, Daniel mit la lettre de Mlle Doubtfire dans sa poche, releva ses jupes, et s'avança parmi les massifs boueux au milieu desquels se tenait Mme Hooper. Cette dernière pointait le doigt vers un coin de son jardin.

— Oh, mademoiselle Doubtfire, qu'en pensez-vous ?

Daniel scruta un instant le jardin. Il était assez difficile de savoir à quel désastre horticole en particulier Mme Hooper faisait allusion, et franchement, Daniel s'en moquait éperdument. Il éprouvait envers son ancienne voisine un ressentiment profond. Elle lui avait causé un bon nombre d'ennuis ces temps-ci. Tout d'abord ce dessin atroce et offensant, qu'il n'était pas près de lui pardonner. Puis cette effroyable pagaille, avec la venue de la classe. Il ne savait toujours pas comment il allait faire pour être en même temps deux personnes différentes, le lendemain matin. Et pour couronner le tout, cette remarque qu'elle avait faite à Miranda au sujet de cette pièce, soit-disant peu convenable, que Daniel avait choisie pour les enfants, alors qu'elle n'avait pas à donner son avis. Cela non plus, il ne l'avait pas digéré.

Il leva une main pour protéger son turban du vent.

— Est-ce un chancre, que j'aperçois sur ce prunus ? roucoula-t-il.

— Un chancre ? Sur mon prunus ? Mme Hooper prit un air anxieux. Non, je ne crois pas.

— Je n'ai pas dit que c'en *était,* l'assura Mlle Doubtfire. Ce n'est qu'une *supposition.* Simplement parce que ça y *ressemble.* Et le chancre se développe souvent là où il y a d'autres maladies...

— D'autres maladies ?

Daniel nota avec satisfaction que le visage de Mme Hooper était subitement devenu un peu plus rouge, et que le ton de sa voix ressemblait déjà moins à celui de la confidence amicale. Il confirma son offensive.

— Eh bien, oui, ma chère. Non que je sois une experte...

Mlle Doubtfire haussa modestement les épaules, ce qui eut pour effet, d'une part de convaincre Mme Hooper qu'elle était bien une experte, et d'autre part de faire glisser inexorablement son boa le long de son dos, jusque dans le bouquet de giroflées.

— Mais les gens du quartier ont souvent fait allusion, tandis que nous bavardions, aux petits problèmes que vous aviez...

— Petits problèmes ?

Le visage de Mme Hooper virait à l'écarlate.

— Oh, rien de sérieux ! Rien de sérieux, vraiment ! Mlle Doubtfire ne put s'empêcher de rire de ses propres paroles. Simplement la rouille de vos roses trémières, ma chère. Et la hernie de vos choux de Bruxelles. Le mildiou qui a envahi vos groseilles. Cette gale qui mange vos roses...

Mme Hooper était devenue aussi rouge qu'une caroncule de dindon. La colère la laissait sans voix.

— Mais vraiment rien d'important, l'apaisa Mlle Doubtfire. Rien du tout. Bien qu'il me semble avoir entendu M. Fairway me parler une ou deux fois de cette vilaine moniliose qu'avaient vos pommes de terre.

— Lui ? Il peut parler ! s'écria Mme Hooper à qui l'indignation avait brusquement rendu la parole. Tout le monde, sait bien qu'il a la pourriture de la racine !

Mais Mlle Doubtfire se retirait délicatement de cet endroit boueux pour rejoindre le chemin dallé, nettement plus sûr.

— Vraiment, ma chère ? lança-t-elle par-dessus son épaule. Je dois avouer que je ne l'avais pas remarqué. (Elle secoua la terre de ses jupes avant de gravir le perron.) Mais maintenant que vous m'en parlez, j'ai entendu dire qu'il avait un peu de rhumatismes...

Et plantant là Mme Hooper, elle disparut à l'intérieur.

L'endroit où Daniel avait prévu de laisser sa lettre — contre le vase, sur la table du hall — était déjà occupé par un mot. Comme le mot était fixé par un trombone à deux billets de dix livres, Daniel le lut. Visiblement, à la qualité de l'écriture, on pouvait déduire que Miranda l'avait rédigé en toute hâte.

Il lut à voix haute : « *Si vous pouviez prendre le temps d'aller acheter une salopette à Natalie — résistante, lavable en machine, un peu grande pour qu'elle puisse la mettre assez longtemps, et pas blanche. Merci. Miranda.* »

« Pas blanche » était souligné quatre fois.

— Cela me semble possible, dit Daniel à la

marantha. Une salopette. Ça ne devrait pas poser trop de problèmes.

Il se détendit avant l'arrivée de Natalie : il fit le tour de la maison pour arroser les plantes, qu'il considérait à présent comme les siennes plus que celles de Miranda ; téléphona à plusieurs agences avec l'espoir d'entendre parler d'une nouvelle pièce qui se monterait ; enleva son boa et son turban, puis s'assit, les pieds sur la table, sa chaise inclinée vers l'arrière, et but une tasse de café tout en parlant à Hetty, à qui il tentait de redonner un peu d'entrain.

Il songea que la caille avait l'air d'être terriblement malheureuse. Elle se tenait recroquevillée, indifférente, dans un coin de sa cage, avec la tête penchée d'une manière qui semblait aussi étrange qu'inconfortable. De petites plumes grises jonchaient le sol de sa cage, et son plumage paraissait terne. Ce n'était plus du tout la Hetty ronde et luisante, pleine de vie et de gaieté. Elle pituitait seulement de temps à autre, doucement, tristement. Par moments, son petit corps frissonnait.

Daniel se demanda quel âge elle pouvait avoir. Il se souvenait que Christopher l'avait rapportée de chez le marchand l'été juste avant cette dernière longue série de scènes entre Miranda et lui, qui avait abouti à l'ultime séparation. Daniel se rappelait parfaitement avoir lancé avec force une théière contre le mur de la cuisine, avec une rage désespérée, et avoir vu Hetty recevoir une douche froide de feuilles de thé mouillées. Elle était donc au moins âgée de quatre ans. C'était déjà beaucoup, pour une caille. Et personne ne savait exactement quel âge elle avait lorsque Christopher l'avait achetée.

Donc, songea Daniel en regardant la pauvre créature qui semblait si misérable dans le coin de sa cage, c'était, selon toute vraisemblance, de son très grand âge que souffrait Hetty. Et puisque dans ce cas, le seul remède était la résistance, il fit le peu qu'il pouvait pour la soutenir de son mieux.

Ayant allumé le four, sur la position « faible » réservée aux meringues, il en rapprocha la cage de Hetty pour qu'elle fût au chaud. Il frotta son petit bol jusqu'à ce qu'il fût d'une propreté irréprochable, le remplit d'eau claire et le posa plus près d'elle. Il éplucha quelques douceurs prises dans le bac à légumes de Miranda, les découpa en petits cubes, et les lui apporta. Elle ne s'y intéressa absolument pas, et Daniel l'observait encore avec inquiétude lorsque la porte d'entrée claqua, le prenant par surprise.

Daniel se précipita sur son turban et son boa.

Était-il possible qu'il fût déjà 3 heures et quart ? certainement non ! Mais pourtant Natalie était là. Elle ouvrit la porte de la cuisine, tandis qu'un Daniel passablement troublé tirait toujours sur son turban doré pour dissimuler les cheveux au-dessus de ses oreilles.

— Mon Dieu ! Comme tu rentres *tôt !*

Dans sa hâte, il tira trop brutalement, et brisa le fermoir de la broche qui maintenait les plis de tissus cuivré. Le turban se décomposa, et des couches successives de pilou brillant descendirent sur le visage et les épaules de Daniel, l'étranglant presque, et l'aveuglant complètement.

— Oh mm-*mince !* proféra-t-il en se débattant désespérément.

Incapable d'attendre que son père se soit entiè-rement dégagé, Natalie lui mit quelque chose dans la main.

— Lit, papa, ordonna-t-elle fièrement.

Étant donné les circonstances, et le turban piteusement entortillé autour de son cou, il sembla inutile à Daniel de prétendre encore être Mlle Doubtfire. Il se mit donc à lire, en gardant sa propre voix.

« Nous informons tous les parents d'élèves de la région de Midkelvin qu'un consensus pour une action de grève immédiate a été voté lors de la réunion d'hier des syndicats. »

— Oh, non ! pas *encore !*

— Pas ce côté-là ! gémit Natalie. C'est rien qu'un vieux papier. Regarde *derrière !*

Daniel retourna la feuille et se remit à l'ouvrage. Il commença par le titre, laborieusement tracé en énormes lettres, au crayon :

« les érisons »

— *Les hérissons,* le corrigea Natalie, blessée.

— Désolé. *Les hérissons.*

Il poursuivit :

« J'en ai suivi un qui sentait vraiment mauvais dans notre allée. Il a éternué. »

Daniel baissa la feuille de papier, et regarda Natalie.

— Il a éternué ? Vraiment ? Un hérisson ?

Natalie fit oui de la tête.

— Il n'arrêtait pas d'éternuer, lui affirma-t-elle gravement. Sur l'allée.

Amusé, Daniel prit sa petite fille dans ses bras.

— Eh bien, eh bien ! fit-il. C'est une naturaliste que nous avons là !

— Continue ! insista Natalie en se débattant dans ses bras. Elle commençait à s'impatienter.

Daniel la reposa à terre et reprit sa lecture.

« Miss Coates pense qu'il n'y a pas d'érisons dans le fleuve Miss Issipy. »

Il leva un sourcil.

— Comment le sais-tu ?

— Je lui ai demandé.

— Mais pourquoi as-tu demandé au sujet du Mississippi, en particulier ? Natalie soupira.

— C'est le seul fleuve que je connaisse, à part celui du miroir, dans mon livre. Et les chansons qu'on chante à l'école en parlent presque toujours.

Daniel secoua la tête, étonné. Puis, il reprit.

« Les érisons ont des puces. On n'en a pas dans notre maison. Mais on a une ca »

Ici, le rapport sur les hérissons arrivait à une conclusion brutale.

— La cloche a sonné, expliqua Natalie, pendant que j'avais encore la main levée.

— La main levée ?

— Pour demander, pour « une caille ».

— Pour demander comment ça s'écrit ? Ou s'il y en a dans le fleuve Mississippi ?

Natalie ignora cette question. Daniel tourna la page pour relire l'avis de grève immédiate, et se sentit cette fois, dans de meilleures dispositions.

— Une salopette, annonça-t-il à Natalie. Nous allons t'acheter une salopette.

— Mes chaussettes sont mouillées.

— File vite en changer, Natalie.

Elle s'élança hors de la cuisine. Daniel entendit

tout d'abord une cavalcade dans l'escalier, puis vit le plafond trembler, comme Natalie sautait sur le palier. Enfin ses oreilles furent martyrisées par un dernier coup sourd, juste au-dessus de sa tête, qui fit vibrer le plafonnier. Et ce fut le silence. Daniel en déduisit que Natalie était tranquillement assise devant sa commode, à la recherche d'une paire de chaussettes sèches et propres.

Inexplicablement, Daniel se surprit à se demander si Miranda avait de l'aspirine dans l'armoire de la salle de bains. La porte d'entrée claqua de nouveau. Cette fois c'était Lydia et Christopher.

— Qu'est-ce qu'il y a pour le goûter ?

— Je *meurs* de faim !

Lydia jeta son cartable par terre, et Daniel s'empressa de trébucher dessus.

— *Ramasse-moi ça*, Lydia !

Lydia fit une grimace.

— Dé-so-lée ! chanta-t-elle. Qu'est-ce qui est arrivé à ton turban ? Il a l'air tout drôle.

Daniel ignora cette question, et explora l'étagère où se trouvaient les livres de cuisine, à la recherche d'une idée nouvelle. Pour parler franchement, il en avait plus qu'assez de faire la cuisine. Ce qui était autrefois un réel plaisir — préparer de bonnes choses pour ses enfants lorsqu'ils venaient – n'était plus qu'une corvée mortelle. Il avait atteint le stade où, tandis qu'il s'acquittait de sa tâche, il était envahi de méchantes pensées. Il était certain que s'il avait été contraint de faire une fois de plus un pain aux herbes, pour qui que ce fût, il eût remplacé l'ail par de l'arsenic.

Il tira de l'étagère surchargée un livre qu'il n'avait pas ouvert depuis des années, sans doute depuis les premiers mois de son mariage. C'était le livre de cuisine d'Alphonse Lamarquier. Peut-être contenait-il une recette à la fois simple et rapide. Il fallait qu'elle soit rapide, parce que Natalie et lui devaient encore sortir pour acheter une salopette, et il fallait qu'elle soit simple, parce que rien qu'à l'idée d'avoir à couper, éplu-cher, râper, et cuire, il se sentait devenir fou.

Il ouvrit le livre au hasard. Chapitre quatre : les soupes. Pour tuer une tortue de mer, lut Daniel, la coucher sur le dos, de manière à ce que sa tête dépasse du bord de la table. Ses yeux par-coururent la page, survolant le paragraphe sur le démembrement de la tortue, et la préparation de la carapace, du plastron, et des pattes.

Il referma le livre et suggéra :

– Des tartines de fromage ?

— Oh, non ! Pas encore !

— On a *toujours* des tartines de fromage.

— Est-ce que tu as acheté un des fromages que j'aime ? Sinon je ne veux pas de tartines, merci.

Daniel les regarda, l'air furieux.

— Je me demande si Alphonse Lamarquier devait endurer cela.

— Qui ?

— Endurer quoi ?

— Non, rien. Personne. (De nouveau, Daniel se surprit à penser à de l'aspirine.) Et si vous vous mettiez calmement à faire vos devoirs ?

— Je ne peux pas faire les miens calmement, dit Lydia triomphante, ce sont des exercices de hautbois !

Tandis que Christopher déchargeait un tas de détritus de son cartable, à la recherche de son livre de géographie, Lydia vidait par terre le contenu d'un tiroir, pour en extraire son hautbois. Daniel mit la main sur deux boîtes de soupe à la tomate, qui se trouvaient tout en haut du petit placard à provisions. Il se sentit vaincu, et un peu coupable, en se remémorant, non sans une certaine gêne, son premier jour de travail chez Miranda, lorsqu'il avait remarqué ces boîtes cachées là-haut dans le coin. Il les avait regardées, réprobateur, profondément convaincu qu'il n'en serait jamais réduit, lui, à donner à ses enfants une nourriture aussi médiocre.

Christopher prit un stylo. Il ne lui était jamais venu à l'esprit que ses devoirs puissent être un travail personnel, et comme son père était là, il lui demanda :

— Quelle est la plus grande cause de gaspillage d'énergie en Grande-Bretagne ?

— La déperdition de chaleur, répondit automatiquement Daniel. Les maisons anglaises ont une isolation déplorable.

Christopher fit courir son stylo. Il savait lorsqu'il était bien parti.

— Dans quels pays les maisons sont-elles correctement isolées ?

— En Norvège, suggéra Daniel. Les maisons norvégiennes sont remarquablement bien isolées. Si tu craques une allumette, la maison bout.

— Si tu pètes, ça fait une vague de chaleur.

— Christopher !

Christopher se calma, et Lydia prit le relais.

— Je n'arrive pas à lire cette clé, se plaignit-elle.

— Fais simplement ton exercice, ordonna Daniel.

— Comment puis-je faire l'exercice, si je ne sais pas dans quelle clé il est ? s'écria Lydia, outrée. Je ne sais même pas quelles notes je dois jouer. Donc je ne peux pas le faire.

Daniel pointa un doigt sévère sur la partition.

— Elles sont là, les notes. Tu n'as qu'à les jouer, non ?

— C'est ça, répliqua Lydia. Parfait ! Mais alors tu me diras où sont les dièses et où sont les bémols !

Daniel opéra une retraite vers la cuisinière.

— Cela ne sert à rien de me le demander, à moi ! se défendit-il en gesticulant. Pour moi, n'importe quelle partition ressemble à des jonquilles qui poussent sur le bord d'une autoroute. Qu'elles soient plantées plus ou moins espacées, elles n'en restent pas moins des jonquilles, pour le mélomane moyen.

Lydia souffla furieusement dans son hautbois. Daniel fit un grand bond. La cuillère décolla de la casserole, aspergeant généreusement le devant de la robe de Mlle Doubtfire, de liquide orangé.

— Lydia ! Sors d'ici et va faire tes exercices ailleurs !

Lydia s'éloigna, tout en continuant à tirer des sons diaboliques de son hautbois.

Daniel commençait juste à savourer le silence, lorsque Christopher le brisa. Il déversa un peu plus de son foutoir sur la table, à la recherche cette fois de son livre de maths.

— Pourquoi est-ce qu'on doit apprendre à faire des fractions, de toute façon ? grogna-t-il.

— C'est utile, les fractions, dit Daniel à son fils. On ne fait pas toujours ce qu'on veut dans la vie.

Il remuait toujours la soupe, tout en méditant sur ce qu'il n'avait pas toujours obtenu dans sa propre vie, lorsqu'un petit piaillement pathétique se fit entendre, près du four. Alarmé, Christopher leva les yeux de son livre.

— Est-ce que c'est Hetty ?

Il regarda autour de lui, et vit le tabouret sur lequel la cage était posée habituellement.

— Où est-elle ? Où est-ce que tu as mis sa cage ?

Daniel toucha la cage du bout du pied.

— Là.

— Pourquoi l'as-tu changée de place ?

— Vois toi-même.

Christopher s'approcha, et examina son oiseau, à travers les barreaux de la cage.

— Elle a un drôle d'air.

Daniel tenta d'aborder délicatement le sujet de l'état de Hetty.

— Je crois qu'elle ne va pas bien du tout...

— Pauvre Hetty. Elle a peut-être besoin de compagnie. Il faudrait peut-être qu'elle ait un petit.

— Je crois qu'elle est un peu trop âgée pour avoir des petits...

— Et de toute façon, il nous faudrait l'aide d'une autre caille.

— J'ai bien peur que ce genre de choses ne l'intéresse plus à présent, Christopher.

Daniel essayait... Même son fils semblait décidé à ignorer le message caché sous les paroles de son père.

Christopher tapota les barreaux en souriant :

— Si tu me pardonnes l'expression, Hetty, c'est parce que tu es toute seule... que tu cailles !

— Christopher...

Mais son fils refusait toujours de l'entendre.

— Tu aimerais avoir des petits, hein Hetty ? fredonna Christopher.

La patience de Daniel s'effritait devant cette affirmation butée : Hetty n'était pas mourante, elle ne songeait qu'à faire des petits.

— Dommage que ce ne soit pas la bonne période de l'année, dit-il d'un ton sarcastique, j'aurais pu t'apporter des boutures !

Il éteignit le feu sous la soupe, et se précipita dans l'escalier pour aller déraciner Natalie.

Elle était toujours assise devant sa commode, et semblait désespérée. Elle était entourée d'un océan de chaussettes.

— Pour l'amour du ciel, Natalie ! Combien de temps te faut-il pour enfiler une paire de chaussettes ?

Natalie fit la grimace.

— Je n'en ai pas.

— Ne dis pas de bêtises !

Elle défia son père :

— Regarde, toi ! Je n'en ai pas trouvé deux pareilles, nulle part.

Furieux, Daniel se mit à fouiller dans le tas de chaussettes. A son grand ennui, Natalie avait raison. Des chaussettes, il y en avait à profusion, mais pas une seule paire.

— Où sont les autres ? demanda-t-il.

— Chez toi, fit Natalie.

— Oh, mon Dieu !

Les mâchoires serrées, il pêcha deux chaussettes — une montante bleue, et une soquette verte.

— Tiens ! mets celles-là. Il faut absolument partir, Natalie. Il est déjà 4 heures et demie.

— On pourrait l'acheter demain ?

Daniel réfléchit un instant. Mais il savait que le lendemain serait du début à la fin, une journée épouvantable.

— Nous y allons maintenant. Nous avons deux bonnes heures.

Lorsqu'il y repensa par la suite, Daniel ne put

toujours pas s'expliquer comment ces deux heures avaient passé. Certes, ils étaient allés dans plusieurs magasins. Le premier n'avait pas de salopettes du tout, et le deuxième n'en avait que des blanches. Dans le troisième, ils en trouvèrent des rouges, des bleues, et des vert pomme, mais toutes portaient l'étiquette « laver séparément », et se souvenant des strictes recommandations de Miranda, Daniel dut entraîner ailleurs une Natalie mélancolique et contrariée. La quatrième boutique vendait des salopettes grises, lavables en machine, mais n'avait pas la taille de Natalie. La cinquième avait quatre salopettes à sa taille, mais aucune ne lui allait. Ils essayèrent la taille au-dessus, puis la taille suivante, sans succès.

— Ça serre, grognait Natalie en tirant furieusement sur la fourche. Elle est trop serrée d'ici. Ça fait mal.

— Avez-vous essayé chez Notweeds ? demanda froidement la vendeuse. Ils essayèrent donc d'aller chez Notweeds. Comme ils s'approchaient de la grande vitrine, deux employées qui se trouvaient à l'intérieur interrompirent brusquement leur palpitante conversation pour regarder avec étonnement cette extraordinaire amazone, bardée de maquillage, avec des touffes de cheveux qui s'échappaient d'un couvre-chef des plus étranges, le haut de sa robe copieusement taché de soupe à la tomate, sa jupe maculée de boue, et qui tenait par la main la plus mignonne des petites filles, dont les chaussettes étaient dépareillées.

Comme les portes s'ouvraient, les vendeuses revinrent brusquement à la vie :

— Nous fermons, firent-elles en chœur.

La plus téméraire des deux posa la main sur la manche du gilet de Mlle Doubtfire, pour la mettre dehors.

Irrité, Daniel se redressa de toute sa taille, dominant la vendeuse, et tonna :

— Mademoiselle, la pancarte contre la porte dit clairement que le magasin ferme à 5 heures et demie.

— C'est pratiquement l'heure, rétorqua la fille.

— Il reste encore sept minutes.

— Cela n'est pas suffisant pour essayer quelque chose.

— Alors, nous regarderons.

— Ce n'est pas la peine, insista la fille. L'expression de son visage disait nettement qu'elle ne voyait dans le magasin rien qui fût à la taille de Mlle Doubtfire.

— Viens, Natalie, dit Daniel. Tu aimerais bien regarder tous ces jolis vêtements, hein ?

— Non, dit Natalie, je veux rentrer à la maison.

La vendeuse commit l'erreur de sourire.

— Tant pis ! dit Daniel à Natalie, nous allons regarder de toute façon. Pendant sept minutes.

— Six, maintenant, corrigea la vendeuse avec insolence.

Il fallut presque remorquer Natalie entre les rangées de vêtements. Elle traînait les pieds avec une telle détermination, qu'elle réussit à laisser des traces sur le tapis, pourtant résistant, du magasin. De très mauvaise humeur, elle se mit à geindre tout haut : Elle avait mal aux pieds. Elle avait mal aux jambes. Elle voulait rentrer à la maison ; c'était l'heure de Blue Peter ; elle n'aimait même pas les salopettes.

— De toute façon, nous n'en avons pas en stock, claironna la vendeuse.

Elle avait entièrement raison. La totalité du rayon pour enfants tenait dans deux étagères de vêtements, dont l'une était presque vide. Aucune ne contenait de salopettes d'aucune sorte, et il ne fallut à Daniel qu'une minute trente pour tout regarder, bien qu'il prît son temps.

— Quatre minutes.

La voix de la vendeuse était chargée de mépris.

— On rentre à la maison, dis ?

Les lamentations plaintives de Natalie auraient fait fondre le cœur d'un Néron, mais Daniel y semblait imperméable.

— Nous partirons quand je le dirai, Natalie.
Pas avant.

Ils déambulaient entre les rayons, Daniel
essayant de faire comme s'il n'était pas obligé de
tirer impitoyablement le bras de Natalie, ni de lui
chuchoter continuellement des menaces.

— Deux minutes !

Daniel prit une robe dans le rayon près de lui,
et frissonna. Vraiment, certains de ces vêtements
n'étaient pas faciles à porter ! Visiblement, dans
cette boutique, il n'y avait à l'ordre du jour que
des dos nus, des ventres nus et — Daniel en frémit
d'horreur — des décolletés immenses. Comment
les filles d'aujourd'hui pouvaient-elles porter des
vêtements aussi provocants ? Et comment fai-
saient-elles en étant aussi dévêtues, pour ne pas
attraper la mort ? Et qui pouvait être assez mince
pour entrer dans ceci ?

— Je ne peux plus marcher. Je suis fatiguée.

— Une minute !

Les deux filles étaient debout près de la porte,
le regard haineux, et faisaient tinter leurs clefs.
Daniel examina les chemises de nuit.

Dehors, l'horloge du clocher entonna le caril-
lon de la demie. Daniel serra devantage la main
de Natalie, et passa devant les vendeuses, qui le
regardaient, menaçantes.

199

— Merci, les enfants, dit-il avec un gracieux signe de tête. Vous êtes très serviables. Ce ne fut que lorsque la porte se referma, qu'il entendit ces mots, portés par le courant d'air :

— Quelle horrible bonne femme !

Une fois dehors, Natalie avait recouvré son entrain.

— On va chez Bartons maintenant, dis ? plaida-t-elle. Ils ne ferment qu'à 6 heures, et il y a un marchand de glaces devant.

— Non, ma chérie, dit Daniel. Mlle Doubtfire n'en peut plus. Nous rentrons à la maison, maintenant.

— Et la salopette, alors ? Est-ce qu'on va réessayer demain ?

— Non ! frémit Daniel. Je ne pense pas, ma chérie. C'est impossible de faire des courses après l'école. C'est beaucoup plus raisonnable d'attendre le week-end, où il y a plus de temps.

— C'est drôle, fit Natalie, en glissant sa main dans celle de son père, comme ils se dirigeaient vers la maison. C'est exactement ce que dit toujours maman.

IX

ON NE COUVRE PAS
SON TOIT
LE JOUR DE LA TEMPÊTE

Comme Daniel l'avait craint, le lendemain fut d'un bout à l'autre une journée noire. Lorsqu'il se rendit à son travail, avenue Springer, avec sa robe propre et son turban parfaitement ajusté, il eut d'abord la surprise de trouver là ses trois enfants qui l'attendaient impatiemment.

— Pourquoi n'êtes-vous pas tous à l'école ? demanda-t-il.

— Il y a grève, dit Lydia. Ils nous ont donné une circulaire hier.

— Personne ne m'a montré de circulaire.

— Natalie t'a montré la sienne. Nous l'avons vue sur la table de la cuisine. Alors nous avons pensé que ce n'était pas la peine de te montrer la nôtre.

Daniel était catégorique : « Je n'ai vu aucune circulaire. »

— Mais si, insista Lydia, nous l'avons bien vue, nous. Il y avait des bêtises sur les hérissons écrites derrière.

Comprenant enfin, Daniel apostropha aussitôt sa petite dernière.

— Tu m'as dit que ce n'était qu'un vieux papier.

Natalie était au bord des larmes. Le mot « bêtises », inconsidérément prononcé par Lydia, l'avait blessée.

— J'ai confondu.

Daniel soupira.

— Tant pis. Ça ne change rien au problème. Vous êtes là, de toute façon. (Une pensée le frappa subitement. Le sang quitta ses joues, donnant l'impression que le fond de teint « Crème d'abricot » de Mlle Doubtfire était une dorure bon marché étalée sur le visage d'un cadavre.) Mais si, ça change quelque chose ! Vous ne pouvez pas rester ici ! Aucun de vous ! Pas aujourd'hui !

— Pourquoi ?

Le sang remonta brusquement aux joues de Daniel. Son visage était positivement cramoisi, à présent.

— Parce que la classe de dessin va venir ici ce matin. Et je suis censé poser tout nu, ici même !

— Ça nous est égal, lui assurèrent les trois enfants avec beaucoup de gentillesse.

— Pas à moi. Certainement pas.

— Nous t'avons souvent vu sans habits, dit Lydia pour le réconforter. Nous t'avons vu la fois où ce théâtre de Londres a appelé pendant que tu étais dans ton bain, et lorsque tu as fait l'isolation du grenier, et que maman t'a fait mettre tous tes vêtements dans un sac en plastique, avant de te laisser descendre.

— Et quand tu as perdu ta serviette, à Llandudno, dit Natalie. Tout le monde t'a vu sur la plage cette fois-là.

— C'est totalement différent, leur dit Daniel. Je ne suis pas prude. Un œil qui s'égare sur ma nudité ? Pas de problème ! Le gant de toilette posé pudiquement lorsque je suis dans mon bain qui s'écarte dans un moment d'inattention ? Ça ne me gêne pas ! Mais rester sans bouger pendant trois heures, debout devant la cheminée, dans le plus simple appareil, avec mes propres enfants qui me regardent ? Non, merci ! Non, non, non !

Les enfants eurent l'air profondément déçu. Ils restèrent muets.

Au bout d'un silence tendu, Daniel leur demanda :

— Il n'y a pas un endroit où vous pourriez aller jouer ?

— Jouer ?

— Jouer ?

Le ton de Lydia et Christopher exprimait très nettement leur mépris pour cette suggestion.

— Lire, alors. Dessiner ? Cuisiner ? (Daniel était saisi par l'angoisse.) Si je vous donnais un peu d'argent, vous pourriez aller faire les magasins.

— Combien d'argent ?

Daniel fouilla les poches de Mlle Doubtfire. Mais il réalisa que les deux billets laissés par Miranda pour la salopette de Natalie avaient servi à payer le nettoyage de la robe tachée par la soupe.

Il perdit alors tout espoir.

— Oh, et puis tant pis !

Avec toute la fourberie de la jeunesse, chaque enfant feignit aussitôt d'interpréter ces paroles comme la permission de rester à la maison et d'assister au spectacle. Pour ne pas risquer un revirement de la part de leur père, ils s'enfuirent au premier étage, et firent comme s'ils ne l'entendaient pas qui les rappelait ; ils étaient bien déterminés à être tout ce qu'il pouvait souhaiter — sages comme des images, aussi silencieux que des souris — jusqu'au moment glorieux qui leur était promis.

Daniel se précipita dans la cuisine. Il avait à peine eu le temps de remplir la bouilloire, de sor-

tir des tasses à café, et de jeter un œil à Hetty —
elle semblait, si possible, encore plus misérable et
plus abattue que la veille — lorsqu'on sonna à la
porte. C'était Mme Hooper.

Tout en s'essuyant les mains à son tablier,
Daniel tenta de lui bloquer l'entrée :

— Vous êtes plutôt en avance, pour la classe de
dessin, je le crains, ma chère. Personne n'est
encore arrivé, et...

Utilisant son chevalet comme un bélier,
Mme Hooper força le passage. Derrière elle,
Daniel put apercevoir deux autres membres de la
classe, qui descendaient non sans difficulté de
l'autobus, avec leurs cartons à dessin et leurs chevalets pliants.

Avec un soupir, il laissa la porte d'entrée
entrouverte et suivit Mme Hooper dans la cuisine.

Surprise en train de se verser une tasse de café,
celle-ci lui adressa un sourire engageant.

— Je nous sers deux cafés, Mlle Doubtfire ?

— Vous pouvez en servir quatre, ma chère, dit
Daniel, les autres arrivent.

Quatre tasses tout d'abord, puis six, puis sept,
puis onze. Daniel dut endurer d'interminables
présentations courtoises, tandis que les membres
de la classe arrivaient les uns après les autres. Il se
rongeait intérieurement.

— Où M. Hilliard peut-il bien être ?

— Ce n'est pas son genre d'être en retard.

— Je lui ai pourtant donné l'adresse.

— Il téléphonerait, tout de même...

— Je suis sûr qu'il est en route.

C'est le moment de faire mon entrée, songea Daniel. Multipliant les signes de tête et les sourires, aussi poliment qu'il le pouvait, il se glissa vers la porte, armé d'un sucrier, et offrit du sucre à chacun. Il projetait de filer au premier étage, de se changer rapidement et de se matérialiser à la porte d'entrée sous les traits de Daniel. Mais soudain, comme il allait franchir la porte, le défaut fatidique de son plan lui apparut dans toute son horrible clarté. Il n'avait pas de vêtements ! Il avait oublié d'apporter son pantalon avec lui ! Il n'avait ni veste, ni chemise, ni chaussettes ! Il se trouvait dans un épouvantable pétrin !

— Qu'est-ce qui peut bien lui être arrivé ?

— Mais où est-il ?

— Comme c'est contrariant ! Il aurait pu téléphoner.

— Il est vraiment tard. Nous aurions dû commencer depuis vingt minutes.

N'ayant strictement aucune autre solution, Daniel se jeta à l'eau.

— Vous avez tous fini votre café ? roucoula-t-il, à la manière la plus maternelle de Mlle Doutbfire. Puis-je emporter vos tasses, chers amis ? Vous pouvez aller dans le salon installer vos jolis chevalets, sortir vos crayons, et je vais chercher M. Hilliard pour vous.

— Chercher M. Hilliard ? Il est ici ?

— Il se cachait pendant tout ce temps ?

— Il ne se cachait pas, chers amis. Il est simplement arrivé un peu en avance et s'est éclipsé dans le jardin pour fumer.

Daniel entendit tout autour de lui des murmures indignés.

— Ici ? Pendant tout ce temps !

— Cette femme aurait pu avoir le bon sens de nous le dire !

— Elle ne nous a pas entendus nous inquiéter ? Est-elle sourde ?

— Je ne savais pas que M. Hilliard fumait.

Oubliant un instant son rôle, Daniel répondit à cette dernière remarque :

— J'aime fumer un petit cigare de temps en temps.

Tous les regards se braquèrent sur lui. Selon eux, Mlle Doubtfire ne ressemblait en rien à un amateur de cigares. Mais ils n'auraient pas pensé non plus qu'elle fût sourde comme un pot. En proie à la panique, Daniel se hâta de leur faire quitter la cuisine.

— Allez-y, chers amis. Installez-vous bien confortablement dans la pièce, et en moins de temps qu'il vous en faut pour sortir vos merveilleux jaune safran et vos bleu de cobalt, M. Hilliard sera devant vous, je vous le promets.

Sans cesser de ronchonner entre eux au sujet de ce retard aussi absurde qu'inutile, les membres de la classe de dessin commencèrent à se diriger mollement vers le couloir, avec tout leur équipement dans les bras.

Daniel se précipita à l'étage. Christopher l'attendait sur le palier.

— Est-ce que nous pouvons descendre, maintenant ?

— Certainement pas !

Daniel poussa son fils devant lui jusqu'à la chambre de Miranda.

— Vite, fit-il. Fouille dans les affaires de ta mère pendant que je me déshabille, et trouve-moi quelque chose dont je pourrais me couvrir.

— Quelque chose, dans quel genre ?

— Je ne sais pas ! Daniel arracha sa robe. Quelque chose qui puisse les amuser. Quelque chose de bigarré – qui puisse être intéressant à peindre !

— Qu'est-ce que tu penses de ça ?

Christopher exhibait un pullover aux couleurs de l'arc-en-ciel, sur lequel était imprimé « Non au nucléaire ».

– Seigneur non ! Cela m'obligerait à discuter !
Trouve-moi autre chose !

Tandis que Daniel enlevait le fond de teint
« Crème d'abricot » de Mlle Doubtfire, Christopher sortit une petite culotte à fronces, pailletée
de ravissants petits cœurs.

– Et ça ?

– Non !

– Alors il faudra que tu mettes ce châle. C'est
tout ce que je peux te trouver.

Daniel extirpa ses pieds du petit tas des affaires
de Mlle Doubtfire, qui exhalait un délicat parfum
de lavande. Christopher lui tendit un châle avec
de riches dessins cachemire, aux épis rouge vif.

– Oh, *très bien !*

Daniel s'enveloppa du châle et le noua sur son
torse.

– Attention, l'avertit Christopher. C'est une
des affaires préférées de maman. Tu auras des
ennuis si tu l'abîmes.

– De toute façon, elle veut déjà ma mort.

– Ça, c'est sûr, dit Christopher dans un sourire. Tu aurais dû entendre ce qu'elle a dit hier
soir, sur le fait que tu viennes poser dans cette
maison. Elle répétait sans arrêt : « Dieu merci,
vous serez tous les trois en sûreté à l'école. »
Nous n'avons pas osé lui parler de la grève. Nous

avons fait comme si nous allions à l'école, ce matin, et nous nous sommes cachés dans le jardin jusqu'à ce qu'elle parte.

Daniel était horrifié.

— Et si elle revenait ? Ça pourrait arriver. Elle aura reçu ma lettre de démission, ce matin. Elle pourrait se précipiter ici pour essayer de me convaincre de rester, après tout.

— Si jamais elle revient, tu es un homme mort.

— Oh, mon Dieu, gémit Daniel. Et il dévala les escaliers, dans une envolée de cachemire.

En bas, l'ambiance ne fut guère meilleure. Son arrivée provoqua une âpre discussion. Ceux qui appartenaient à un certain courant esthétique voulaient que Daniel pose dans la lumière du jour, en laissant flotter son pagne aux motifs pittoresques. L'autre courant de pensée soutenait qu'il devait être éclairé par une lampe, et qu'il fallait mettre le cachemire en valeur, par un drapé délicat. « Voyez comme le rouge parle au mauve ! » s'écria le Dr Hamid, tout excité. La suggestion de Mme Hooper selon laquelle Daniel devait enlever complètement son châle fut poliment ignorée par chacun.

Daniel s'avança devant le foyer et s'assit avec précaution sur un tabouret. Le bois était froid sous ses fesses nues. Pendant quelques minutes, il tenta vraiment de satisfaire leurs diverses requêtes et suggestions.

— Pourriez-vous tourner votre visage d'un tout petit millimètre vers la gauche ? Merci ; c'est parfait !

— Vous serait-il possible d'allonger la jambe — voilà !

— Sommes-nous bien d'accord pour que le bras gauche tombe de cette manière ?

Mais peu à peu, il cessa tout à fait de répondre à leurs remarques, leur faisant clairement comprendre qu'il se considérait comme défini- tivement installé. Qu'elle leur plaise ou non, ce serait la pose du jour.

Et elle plut à la plupart d'entre eux. Bien qu'ils fussent à l'étroit dans ce lieu qui n'était pas fran- chement approprié, ils s'affairèrent avec bonheur parmi leurs petites boîtes, pour y prendre crayons, fusains et pastels. Après quelques séries d'excuses polies — « désolé, vraiment. Dites-le- moi si ma position vous gêne. Oups ! Comme je suis maladroit. Pardonnez-moi ! » — il s'installa un silence courtois, seulement troublé de temps à autre par un grognement de satisfaction à peine contenu, un murmure de contrariété — beaucoup plus fréquent — et par Mlle Purkett qui, fidèle à ses habitudes, se mettait parfois à chantonner.

Daniel se détendit. Le tabouret s'était réchauffé. Après tout, peut-être tout cela ne se passerait-il pas si mal. Il pouvait presque commencer à envisager de se sortir indemne de cette matinée. A condition que les enfants soient assez raisonnables pour rester sagement à l'étage, en dehors de tout cela… et que personne ne parte prématurément à la recherche de Mlle Doubtfire, en quête d'une goutte de café chaud… et que Miranda soit accaparée par quelques problèmes récalcitrants, et ne puisse pas se permettre de quitter le Palais…

Une bonne heure s'écoula, bercée par les grattements, les frottements, les ratures et les fredonnements. Tout cela était plutôt apaisant, en fait. Daniel avait retrouvé son optimisme, à tel point qu'il se sentait heureux et satisfait. Surtout depuis qu'il s'était aperçu qu'il était en train de gagner un double salaire. Il commença même à se demander s'il n'allait pas proposer une petite pose, se précipiter à l'étage pour y remettre les vêtements de Mlle Doubtfire, sans oublier une touche de fond de teint « Crème d'abricot », et redescendre pour présider au café, tandis que « M. Hilliard » se serait discrètement éclipsé pour aller acheter des cigares, ou fumer tranquillement. Mais il n'y a pas d'armure contre le destin. Comme il était assis là, confortablement, s'appliquant à ne pas bouger les jambes, et qu'il s'amusait à inventer une explication plausible à la disparition subite d'un adulte vêtu d'un pagne, dans un quartier de banlieue, alors qu'il se rendait au bureau de tabac, son regard s'égara momentanément dans la direction du jardin. C'est alors qu'il découvrit, alignés entre les géraniums, telles de petites têtes mises en pot, ses trois enfants qui le regardaient, et juste derrière, se ruant vers eux telle l'une des furies, son ex-femme.

— Seigneur ! cria intérieurement Daniel. Sauvez-moi, venez à mon secours !

Il ne put supporter de regarder. D'ailleurs, ce n'était pas nécessaire. Bien qu'apparemment assis immobile sur son tabouret, les yeux tournés de l'autre côté, il se figurait aisément le regard foudroyant de mépris de Miranda. Il pouvait sentir ses gestes furieux intimant aux enfants l'ordre de descendre. Il imaginait sans difficulté la réprimande proférée à voix basse. « Descendez ! Descendez immédiatement de cette fenêtre, tous les trois ! Pourquoi n'êtes-vous pas à l'école ? Quoi ? Une grève ? Personne ne m'en a parlé, à moi ! Et où est Mlle Doubtfire ? Comment a-t-elle pu vous laisser sans surveillance, un jour pareil ! »

Daniel jeta prudemment un regard à l'extérieur. Le jardin était vide. Il crut entendre la porte claquer. Puis une série de bousculades dans l'escalier. Miranda conduisait certainement les pauvres petits à l'étage pour leur administrer, en privé, une de ses fameuses semonces.

Il ne pouvait le supporter. Il se leva d'un bond.

— Excusez-moi, cria-t-il. Je reviens tout de suite !

Et les laissant hébétés, il se précipita hors de la pièce.

Ils se trouvèrent face à face dans l'escalier. Il s'arrêta et leva les yeux. Elle descendait. Son visage avait une expression perplexe, et elle tenait à la main le turban fleuri, qui ressemblait à tous ces petits objets insignifiants et inoffensifs qui peuplent un intérieur.

— Où est Mlle Doubtfire ?

— Miranda...

Le trouble s'intensifia sur le visage de Miranda. Ses yeux se rétrécirent. Elle renifla l'air. Était-ce la trace imprudente de « Crème d'abricot » à la racine de ses cheveux ? Ou une vague odeur de lavande ?

Cela importait peu. Tout était perdu. Miranda savait.

— C'est toi, Mlle Doubtfire !

— Miranda ! écoute...

— C'est toi, Mlle Doubtfire ! Depuis le début !

— Miranda ! Je t'en prie ! Je peux t'expliquer !

Il reçut brutalement le turban en plein visage. Et ce fut la querelle, semblable à toutes les précédentes.

— Comment as-tu osé ? Miranda tremblait de rage. Comment as-tu osé me tromper ainsi, et faire en sorte que mes enfants me trompent eux aussi ? Comment as-tu pu les encourager à s'allier avec toi pour me mentir et m'humilier ?

Face à une attitude aussi pharisaïque, l'appréhension de Daniel eût tôt fait de se muer en colère.

— Ne monte pas sur tes grands chevaux, Miranda, tu pourrais en tomber. Avant de me juger, essaie de te demander qui nous a réduit à te tromper ! Demande-toi comment un père peut en arriver à devoir se déguiser pour voir ses propres enfants ! Demande-toi comment ces mêmes enfants ont pu accepter de participer à ce plan ! Si ce que nous avons fait te déplaît, tâche de te souvenir que c'est uniquement ton égoïsme, ton inconscience, ton manque de considération pour les désirs et les sentiments des autres qui sont d'abord la cause de tout cela !

— Tu les voyais régulièrement ! Je ne t'en ai jamais empêché !

— Tu ne m'as jamais facilité les choses non plus. Depuis le divorce, tu n'as cessé de me traiter comme un résidu gênant ! Si je les voyais, c'était malgré toi !

— Qu'est-ce que tu veux dire, malgré moi ? Même lorsque je revenais épuisée de mon travail, même lorsque je tombais de fatigue, je les déposais chez toi, chaque semaine.

— Avec des heures de retard.

— Oui, il m'arrive d'être en retard ! Je travaille, moi, tu sais. Ce n'est pas comme toi. Pendant quatorze ans j'ai été la seule à rapporter régulièrement de l'argent à la maison. Je travaille sacrément dur. Tu ne sais pas ce que cela veut dire. Ça te ferait pourtant du bien. Tu n'aimes pas me voir arriver avec quelques minutes de retard, dans ton appartement répugnant, mais je constate que tu ne fais aucun effort pour trouver du travail, et t'offrir une voiture pour venir les chercher toi-même ! Quand il s'agit de travail, de vrai travail — comme le mien, qui m'épuise tellement parfois, que je ne suis plus capable de leur parler de toute façon — tu n'as peut-être plus tant besoin de voir tes chers petits !

Les chers petits en question écoutaient, assis derrière la balustrade, livides, comme prisonniers derrière les barreaux de la balustrade. Christo-

pher avait commencé à fredonner tout doucement son petit air sans mélodie, son air de
détresse. En bas, derrière Daniel, les membres de
la classe de dessin s'éclipsaient en silence, un par
un, la tête baissée et le visage détourné.

— Je te préviens, Miranda, fit Daniel, l'air
menaçant, ne déterre pas cette vieille histoire ! Tu
n'étais pas mécontente, autrefois, de m'avoir
pour la cuisine, et lorsque les petits étaient
malades, pendant que tu t'attaquais au Palais,
dans ton beau petit tailleur avec les chaussures
assorties ! Alors ne cherche pas à me reprocher
de ne pas avoir de travail !

— Mais pourquoi pas ? « Elle était elle-même
bien trop en colère pour être intimidée par la rage
de Daniel. » Pourquoi pas ? Et si on parlait un
peu de toi, pour changer ! Tu es paresseux,
médiocre, irresponsable ! Tu l'as toujours été et
tu le seras toujours. Mais je n'aurais jamais cru
que tu puisses tomber aussi bas, être capable de
prendre un argent que j'ai durement gagné pour
mentir, pour m'abuser, et fouiller chez moi sans
ma permission, et te moquer de moi devant mes
propres enfants !

— Cet argent, je l'ai gagné en faisant pour toi
un travail. Tu avais besoin que quelqu'un le
fasse. Et je l'ai fait correctement. Tu l'as souvent

reconnu toi-même ! Et j'aurais été heureux de pouvoir le faire gratuitement, sans mentir, et sans me moquer de toi, si tu avais eu assez d'intelligence et de sensibilité pour me permettre de m'occuper d'eux lorsque je te l'ai demandé !

— J'ai eu tout à fait raison de ne pas te faire confiance. Tu viens de m'en apporter la preuve. Je savais que tu étais irresponsable, mais je pensais que tu avais tout de même une once de sensibilité. Est-ce faire preuve de sensibilité, Daniel Hilliard, que de fouiller dans les sous-vêtements de son ex-femme à son insu, de décider de ce qui doit aller dans le panier de linge sale, et de considérer cela comme un travail ?

Daniel frappa du poing contre le mur.

— C'est ça, railla-t-il, continue ! Ça a toujours été ton problème, Miranda. Tu ne sais voir que les torts que les autres t'ont faits ! Il ne te vient jamais à l'idée que tu as pu leur causer du tort la première, ou les y avoir contraints !

— Ah, parce que c'est moi qui t'y ai contraint ! « Son ton était venimeux. » Je t'y ai contraint ? Je t'ai contraint à me servir des tasses de thé et à m'encourager à parler librement de notre mariage, avec les enfants là, qui écoutaient, et qui savaient qui tu étais, qui l'avaient toujours su !

Sa voix se changea en murmure :

— Tu sais à quel point tu t'es moqué de moi, Daniel Hilliard, et tu penses avoir des excuses ?

Agrippant la rampe, elle se pencha en avant, comme si elle voulait lui cracher dessus.

— Ce que tu as fait est impardonnable. Impardonnable ! Je ne te le pardonnerai jamais ! Et les enfants le comprendront, n'est-ce pas ?

Elle se tourna vers eux, attendant une réponse. Aucun ne bougea. Aucun n'ouvrit la bouche. Leurs visages étaient de pâles petits masques. Même le murmure de Christopher s'était tu.

Daniel les interpella à son tour :

— Dites-lui ! Mais dites-lui, bon sang ! Dites-lui que tout cela a commencé parce qu'elle était impossible, qu'elle se fichait de vos désirs comme des miens, parce qu'elle était totalement sourde à toute proposition qui risquait de la déranger, de « perturber sa routine ». (Il cracha ces derniers mots avec un profond mépris.) Dites-lui que vous avez accepté uniquement parce qu'elle était bornée, et convaincue que ce qui lui convenait le mieux était aussi bon pour les autres !

— Je ne te permets pas de parler ainsi de moi aux enfants dans ma propre maison !

— Pourquoi ?

Il laissa échapper un rire désagréable et ajouta avec un geste théâtral :

— Pourquoi ? Tu te permets bien de me dénigrer continuellement dans cette maison. N'oublie pas que j'étais là, et que je t'ai entendue ! J'ai entendu tout ce que tu as dis sur moi ! (Il pointa vers elle un doigt menaçant.) Et ils étaient obligés d'écouter, oh oui. Mais tu ne sais pas ce qu'ils pensent, vois-tu, Miranda. Tu ne te rends pas compte que pour eux cela prouve simplement que tu as commis une erreur lamentable en m'épousant, que tu es égoïste et mesquine ! Tu ne te rends pas service, en disant du mal de moi. Tu les obliges simplement à te dissimuler l'affection qu'ils ont pour moi.

Il la menaça de nouveau.

— Tu t'es engagée sur une pente dangereuse, Miranda, très dangereuse. Car il est difficile de cacher ses sentiments à quelqu'un qu'on aime. Et si tu les forces à te cacher leurs sentiments, ils cesseront tout simplement de t'aimer, pour pouvoir garder plus facilement leur secret !

— Ils ne vont pas cesser de m'aimer ! je suis leur mère !

— Ils ne vont pas cesser de m'aimer non plus ! je suis leur père !

Il y avait tant de haine entre eux que chacun se tut.

Lydia se leva. La colère lui donnait une dignité

à la fois glacée et ardente, qu'aucun de ses parents n'avaient vue auparavant.

— Je vous déteste tous les deux, les informa-t-elle d'une voix tremblante.

Puis, leur tournant le dos, elle alla dans sa chambre et en ferma la porte.

Christopher se leva à son tour.

— Moi aussi, leur dit-il. Il était en larmes. Vous me dégoûtez. Vous êtes horribles. Tous les deux !

Au lieu d'aller dans sa propre chambre, il rejoignit Lydia.

Natalie resta seule en haut des marches. Son pauvre petit visage se décomposa.

Le premier choc passé, Miranda s'approcha d'elle pour la prendre dans ses bras et la consoler. Mais à cet instant, Christopher bondit hors de la chambre de Lydia, écarta brutalement Miranda et souleva Natalie.

— Continuez votre sale dispute, cria-t-il, et laissez la pauvre Natty tranquille !

Il emporta Natalie qui pleurait dans la chambre, et claqua si violemment la porte que la poignée se décrocha et vint rouler sur le tapis.

Miranda était très profondément bouleversée. Elle s'effondra par terre comme une poupée vide. On pouvait voir ses genoux s'entrechoquer. Ses mains tremblaient. Même sa bouche se tordait horriblement.

Daniel se sentit atrocement malheureux.

— Miranda !

— Sors de cette maison.

— Miranda, je t'en prie.

— Je te demande de partir.

Daniel regarda la poignée de porte sur le tapis.

— Et les enfants ? demanda-t-il. Est-ce que je les emmène ? Nous sommes mardi, après tout...

Sa voix s'éteignit. Il ne put soutenir le regard que lui lançait Miranda.

Tandis qu'il passait près d'elle, en se hâtant, ses propres genoux tremblaient. Il alla chercher les vêtements qu'il avait laissés dans la grande chambre. Ils formaient un petit tas sordide sur le sol. Daniel se sentit malade en les voyant. Mais il n'avait rien d'autre à se mettre. Ce qu'il n'avait pas emporté avec lui lorsqu'il était parti avait été jeté par Miranda des années auparavant.

Tandis qu'il s'habillait en Mlle Doubtfire, une dernière fois, il se demanda s'il ne pouvait pas arranger un peu les choses. Au lieu de passer simplement près de Miranda, il pouvait s'asseoir à côté d'elle sur les marches, et peut-être tenter de la réconforter en posant la main sur son épaule, lui proposer un verre d'une de ses propres boissons, essayer de parvenir à une solution.

Mais cela ne marcherait pas. On ne couvre pas son toit le jour de la tempête. Cela ne marcherait pas.

Quand il sortit de la chambre, elle n'avait pas bougé. Elle était comme pétrifiée lorsqu'il passa près d'elle en descendant les escaliers. Il ramassa son turban par terre et l'enfonça rageusement sur sa tête et sortit.

Il remarqua que Mme Hooper était dangereusement penchée par-dessus la barrière. Elle tendait encore l'oreille, dans l'espoir d'en entendre davantage.

Comme il partait, il lui dit avec mépris :

— Je vois que votre chiendent se porte à merveille.

Même son air hébété ne réussit pas à le consoler.

X

LA RIVIÈRE À TRAVERS
LE MIROIR

Daniel n'attendit pas à l'arrêt de bus. Étant donné les circonstances, il n'avait pas très envie de rester, toujours habillé en Mlle Doubtfire, sous le nez de Mme Hooper qui le regardait de son jardin, de ses enfants qui le regardaient de la chambre de Lydia, sans compter Miranda qui l'épiait peut-être par une fenêtre du rez-de-chaussée. Alors il s'éloigna à grands pas, et ne ralentit son allure qu'après avoir tourné le coin de la rue.

Quelques rues plus loin, il entendit un bus qui arrivait derrière lui, et il leva la main tout en continuant à marcher, se moquant bien, dans son malheur, de savoir si le chauffeur daignerait s'arrêter ou pas. Cependant le bus vint se ranger contre le trottoir, et Daniel monta à son bord. Ce ne fut que lorsque le conducteur embraya, déjà en route vers la station suivante, que Daniel s'aperçut qu'il n'avait pas de ticket.

— Mon Dieu ! Je crois bien que j'ai oublié mon sac à main en partant !

Daniel avait demandé et empoché son ticket de quarante pence d'un ton plutôt bourru, et réalisant qu'il n'avait pas de quoi le payer, guidé par une prudence instinctive, il fit un effort pour apaiser la colère du conducteur en utilisant Mlle Doubtfire comme bouclier.

— Oh, quelle sotte je fais ! Comme c'est ennuyeux pour vous, monsieur le chauffeur. Alors que vous venez de sortir le ticket ! Oh, je suis vraiment navrée.

Le chauffeur s'était entièrement radouci. En fait, il semblait même trouver Mlle Doubtfire tout à fait charmante.

— Vous en faites pas, M'dame. C'est moi qui vous offre le trajet. Asseyez-vous donc. Reposez un peu vos pauvres jambes.

— C'est extrêmement gentil à vous, roucoula Mlle Doubtfire. Vous êtes trop aimable. Trop aimable.

Le conducteur rougit et fit signe à Mlle Doubtfire de rester et de prendre le siège réservé aux infirmes et aux personnes âgées, afin de pouvoir continuer à bavarder avec elle. Daniel était trop bouleversé pour songer à refuser. Il se percha sur l'extrême bord du siège, et se tint raide, tirant nerveusement sur sa jupe, tout en hochant la tête automatiquement à tout ce que le chauffeur lui disait. Son esprit était entièrement occupé par le souvenir net, fulgurant, de son effroyable dispute avec Miranda, et par la vision lancinante de la détresse sur le visage tendu de ses enfants.

Un bon nombre de stations avait défilé avant que Daniel n'émerge suffisamment de sa misère pour s'apercevoir que le conducteur n'était plus seulement amical : il avait tranquillement entrepris de flirter.

Daniel maudit cette sorcière de Mlle Doubtfire.

Il sursauta : « Ma station ! »

— Je ne peux pas m'arrêter avant la fin du boulevard de ceinture, mon cœur.

Le chauffeur revint à ses lourdes allusions au sujet des week-ends solitaires.

Involontairement, Daniel rougit.

Le chauffeur sembla trouver cela très seyant. Il se mit à lorgner Mlle Doubtfire avec un franc enthousiasme. Daniel était déjà excédé, à présent il paniquait. Il se sentait pris au piège, gêné, et il avait trop chaud. Sans y penser, il commença à retrousser ses manches. Mais avant que Daniel ait retourné chaque joli poignet froncé deux fois sur lui-même, le chauffeur avait brusquement reporté son attention sur la circulation, et regardait fixement la route devant lui.

Daniel baissa la tête avec soulagement, et remarqua alors ses propres bras, posés sur ses genoux — deux énormes bras robustes, noués de muscles, et recouverts d'épais poils noirs.

Daniel jeta un regard furtif en direction du conducteur. Malheureusement leurs regards se rencontrèrent un court instant dans l'un des miroirs circulaires. Le conducteur détourna aussitôt les yeux, nerveux et embarrassé, et se souvint de tous les amis qu'il avait négligés, et qu'il devait tout de même tâcher de voir pendant les week-ends. Au carrefour suivant sur le boulevard, Daniel descendit.

La première chose que fit Daniel en arrivant chez lui, fut d'arracher son turban et sa robe, de fourrer tout ce qui appartenait à Mlle Doubtfire dans un de ces grands sacs en plastique noir dont il se servait pour mettre les mauvaises herbes, et d'aller le jeter dans la poubelle de l'immeuble. « Bon débarras ! », cria-t-il en laissant tomber le sac au milieu des os de poulet, des feuilles de thé et des épluchures de carottes. « Adieu, turban ! Adieu, eau de lavande ! Adieu, fond de teint " Crème d'abricot " ! Bon vent à toi, Mlle Doubtfire ! Dieu merci nous ne nous reverrons plus jamais ! » Puis il donna un vigoureux coup de pied dans la poubelle, pour lui apprendre.

La seconde chose qu'il fit, fut de razzier le contenu de la théière fêlée qui lui servait de tire-lire pour les urgences. Il y avait six livres. Daniel les prit et courut s'acheter un balai-éponge, une brosse de chiendent, deux paquets de serpillières, et trois boîtes de poudre à récurer. Sale et répugnant, avait-elle dit en parlant de son appartement. Il allait lui montrer, à Miranda ! Elle allait voir !

Il balaya le plancher, et le lava jusqu'à ce qu'il brille. Il tenta d'ajouter un peu de gaieté à la tâche, en imaginant qu'il s'était produit là un terrible accident domestique, et que c'était le sang de Miranda qu'il nettoyait, mais de toute façon, cette fois, son cœur n'y était pas. Peut-être se sentait-il un peu coupable. Parmi les choses que lui avaient dites Miranda, certaines avaient vraiment porté.

Dès que le plancher fut impeccable, il s'attaqua au four. Miranda avait eu bien raison de se pincer le nez en le voyant, se dit-il. Il était dégoûtant. Il lui fallut tout d'abord gratter plusieurs couches de graisse au couteau, en essuyant régulièrement la lame sur du papier journal, avant d'approcher seulement de la surface. A présent qu'il avait vraiment les doigts dans la saleté, il réalisait pour la première fois combien cela était répugnant, et il regrettait amèrement d'avoir laissé sa nouvelle maison devenir aussi peu hygiénique, aussi sordide. Certains vieux souvenirs lui traversaient l'esprit, tandis qu'il frottait et grattait, et il se rappela en particulier une occasion au cours de laquelle il avait offert à Lydia d'organiser dans son appartement à lui, son goûter d'anniversaire, après que Miranda eut fait acte d'autorité, en disant qu'il fallait bien arrêter de faire des goûters d'anniversaire un jour, et que cette année lui semblait pour cela aussi bonne qu'une autre.

Lydia n'avait pas simplement refusé son offre. Elle avait frissonné. Il l'avait vu distinctement. C'était la raison pour laquelle il se souvenait si bien de cette occasion. Et bien qu'à l'époque, il eût pris son refus poli au pied de la lettre, écartant fermement toute autre raison possible, il comprenait à présent, avec le recul, pourquoi elle n'avait pu s'empêcher d'avoir l'air horrifié à cette suggestion. Il se sentit aussi profondément gêné à l'idée qu'il avait proposé son appartement crasseux et inhospitalier aux amis de Lydia, qu'elle avait dû l'être à l'idée d'accepter cette proposition. La poussière est la poussière. Une tache est une tache. Mais la saleté est la saleté. Daniel se jeta dans la bataille avec une ardeur renouvelée ; c'était la Reine Saleté elle-même qu'il combattait. L'évier scintillait dans la lumière du soleil qui inondait les vitres fraîchement lavées, lorsqu'on sonna à la porte d'entrée.

Les mains de Daniel étaient recouvertes de poudre à récurer. Il traversa le couloir et souleva le loquet avec son coude.

Sa fille aînée l'attendait sur le pas de la porte. Il remarqua avec étonnement qu'elle portait un gros manteau d'hiver — celui qu'il lui avait acheté l'année précédente, et qu'il n'avait pas revu depuis.

— Lydia ! Tu es venue !

— Oui. Me voilà.

(Elle ne semblait pas du tout en être heureuse.) Daniel fit un pas de côté pour la laisser passer.

— Veux-tu que je te fasse du thé ?

— Non, merci.

Sa voix était glaciale, et elle semblait plus que distante. Elle passa devant la cuisine, sans même jeter un regard aux meubles qui reluisaient. Elle se laissa tomber sans cérémonie dans un fauteuil devant la télévision, et fixa l'écran vide d'un air maussade.

Au bout d'un moment, Daniel hasarda :

— Ça a été une sacrée dispute, entre ta mère et moi...

— C'était horrible. *Horrible.*

— Ce n'était pas une conversation pour paci-
fistes convaincus, il faut bien l'admettre.

— Vous avez vraiment été *atroces, tous les
deux.*

Daniel tenta de masquer son embarras, en
ramassant les vieux journaux qui traînaient dans
la pièce. Il les mit dans la corbeille à papiers. Il
retrouva çà et là quelques chaussettes dépareillées, qu'il glissa dans sa poche avec reconnais-
sance. Il songea que les chaussettes égarées des
enfants du divorce, étaient peut-être l'équivalent,
au vingtième siècle, de tous ces rameaux d'olivier
des temps bibliques.

Lydia regardait toujours l'écran éteint, l'air
renfrogné, et Daniel trouvait cela des plus éner-
vant. Il fit une nouvelle tentative.

— Oui, c'était atroce. Pour ce qui est des critiques constructives, je les accepte. Mais les
insultes gratuites...

Lydia l'interrompit sèchement :

— Écoute. Je n'ai pas vraiment envie de parler,
si ça ne te dérange pas. Ni d'écouter. Et je n'ai
surtout pas envie de parler de *ça.*

— Pourquoi es-tu ici, alors ? demanda Daniel,
abasourdi.

Les pommettes de Lydia se teintèrent légèrement de rouge.

— Parce que c'est le goûter du mardi, dit-elle.

— Et le goûter du mardi fait partie de *mon* temps de visite ?

Lydia se renfrogna davantage.

— C'est juste une question de principe, dit-elle.

— Tu es juste en train d'exercer ce que tu considères comme tes droits ?

— Si tu veux. En tout cas je ne suis pas venue avec l'idée de m'amuser !

— Je vais quand même faire du thé, s'empressa de dire Daniel, et il retourna dans la cuisine.

Il mit la bouilloire à chauffer, et en attendant que l'eau bouille, il nettoya l'interstice entre le réfrigérateur et le casier à légumes, d'où il venait de sortir son plateau en bois pour le thé. Et là, à sa grande honte, Daniel découvrit deux chaussettes supplémentaires.

Quand il revint quelques minutes plus tard, avec le plateau dans les mains, Lydia se sentait d'humeur un peu plus expansive. Tandis que le thé et les biscuits la réconfortaient, sa voix s'adoucit.

— Ce n'est pas *seulement* une question de principe, confia-t-elle au bout d'un moment. Il y a aussi autre chose.

— Ah, oui ?

— Une chose à laquelle j'ai un peu réfléchi, lorsque maman nous a parlé de votre mariage. J'ai pensé que si l'un de vous avait reculé, aucun de nous les enfants, ne serait jamais né.

— Mais vous *êtes* nés.

— Oui. Et c'est ça la question. Nous sommes nés. Et nous sommes la seule chose qui soit restée, n'est-ce pas ? Je veux dire, votre mariage a été un échec. Un échec total. Et vous deux n'êtes même plus vraiment amis. Elle secouait la tête avec impatience, et Daniel se dit qu'il ne l'avait jamais vue ressembler autant à sa mère.

— Oh, je sais que vous faites très bien semblant d'être en bons termes lorsque vous vous trouvez l'un en face de l'autre, dans les soirées chez des gens, où à l'école, dans des moments comme ça. Mais vous n'êtes plus vraiment de bons *amis*, non ?

— C'est vrai, admit Daniel. Nous ne sommes pas vraiment de bons amis.

— Alors je me suis dit que Natty, Christopher et moi, nous étions les trois seules choses qui soient sorties de votre mariage. Nous sommes tout ce qui reste. Nous sommes tout ce qui compte maintenant.

— Tout ce qui compte ?

La voix de Daniel était douce, bien qu'il semblât un peu dérouté.

— Oui. Tout ce qui compte. La seule raison
pour laquelle il y a encore un vrai contact entre
vous. Et cela nous donne une sorte de Droit Sup-
plémentaire. Tu ne vois pas ? Tu ne vois pas ? Si
la façon dont les choses se passe ne nous rend pas
heureux, tous les trois, alors à quoi ont servi
toutes ces années ? A rien ! A rien du tout ! Si
vous ne pouvez rien faire qui nous convienne à
nous, alors tout cela a été un gâchis total et un
échec total. En fait... (elle hésita) pire qu'un
échec total.

— Pire ?

— Oui. Pire. La haine, les disputes, et toutes
ces choses atroces.

— Oh, oui, dit Daniel. Ces choses atroces.

Il se tut un instant, se remémorant ces choses.
Puis il demanda :

— Est-ce que tu lui as dit tout cela ?

— Non. Non, je ne lui ai pas dit. J'aurais bien
essayé, mais elle n'écoutait pas. Elle était trop
énervée, et trop en colère.

— A cause de moi.

— A cause de moi, aussi.

Elle se leva, marcha jusqu'à la fenêtre, et
regarda dehors, ses mains enfoncées dans les
poches de son manteau d'hiver.

Il ne lui allait pas vraiment, se dit Daniel.

C'était un modèle trop épais. Il l'engonçait. Elle avait bien meilleure allure dans celui que Miranda avait acheté.

— Comment es-tu venue ? lui demanda-t-il.

— Nous nous sommes disputées. Elle ne voulait pas que je vienne. Elle m'a dit que j'étais déloyale. Elle a dit que tu avais perdu ton droit pour aujourd'hui.

— Et qu'as-tu dit ?

Lydia se retourna. Ses yeux étaient pleins de larmes. Elle avait l'air épuisé.

— Je lui ai dit que je ne voulais plus vivre ma vie entre vous deux, et ne penser qu'à ses droits et aux tiens. Je lui ai dit que je pensais que j'avais des droits, *moi aussi*, et qu'à partir de maintenant vous deux feriez mieux de commencer à songer à *mes* droits.

Daniel ouvrit de grands yeux.

— Qu'a-t-elle répondu quand tu lui as dit cela ?

— Je ne l'ai pas *dit*, en fait, confessa Lydia. Je l'ai *hurlé*.

— Et elle a dit... ?

— Hurlé.

— Hurlé... ?

— Que je ne pouvais pas partir. Pas dans l'état où j'étais !

— Et tu as dit… ?

— Hurlé. J'ai hurlé que…

Elle hésita. Sa voix tremblait au souvenir de ce qui s'était passé.

— Je lui ai hurlé que si elle ne me laissait pas partir aujourd'hui, elle le regretterait !

— Elle le regretterait ?

Daniel sembla songeur.

— A quoi pensais-tu exactement, lorsque tu lui as dit ça ?

Lydia se tourna de nouveau vers la fenêtre.

— Je n'en suis pas sûre, lui dit-elle. Je n'en suis pas sûre. Mais elle devrait savoir — il est temps qu'elle sache — qu'on peut donner des ordres à quelqu'un sans être forcément le gagnant. On peut contrôler quelqu'un et le perdre quand même. Si seulement elle s'arrêtait pour *réfléchir* un peu, elle s'en apercevrait.

— Oh, oui, dit Daniel. Et lorsqu'elle s'arrêtera et réfléchira, elle s'en apercevra. Ne t'en fais pas.

Lydia soupira. Fermant les paupières, elle passa plusieurs fois les doigts sur son visage, entre ses yeux.

— Et ensuite je suis allée chercher ce manteau au sous-sol, je suis sortie et j'ai pris le premier bus pour le centre ville.

— Et tu es venue ici toute seule.

— Ça m'a pris du temps, mais je l'ai fait. (Elle rougit un peu.) Mais je n'avais pas de ticket de bus. Mon porte-monnaie était dans l'autre manteau, tu vois. Je n'aurais jamais pensé. Mais le chauffeur a été très gentil. Il m'a laissée faire le trajet sans ticket. Il a dit que je n'étais pas la première personne à avoir oublié son argent aujourd'hui. Il a dit que c'était arrivé cet après-midi à une vieille dame sénile, sur le même trajet.

— Une vieille dame sénile ?

Daniel se sentit momentanément outragé pour feu Mlle Doubtfire. Une *vieille dame sénile ?* Puis il se leva et s'approcha de sa fille. Il la défit doucement de son hideux gros manteau d'hiver.

— Tu as l'air épuisé, lui dit-il en l'amenant vers le canapé. Pourquoi tu ne te reposes pas un peu ?

— C'est ce que je devrais faire, avoua-t-elle. Je suis très fatiguée. Je suis si fatiguée que tu pourrais passer l'aspirateur, ça ne m'empêcherait même pas de dormir.

Il quitta la pièce, en refermant la porte derrière lui, et composa le numéro de Miranda, qui ne répondit pas. Quand il revint avec une couverture, Lydia dormait.

Elle réussit effectivement à dormir tandis qu'il passait l'aspirateur. Et pendant qu'il nettoyait l'intérieur des placards de la cuisine, et frottait les miroirs, elle dormait toujours. Elle ne se réveilla pas lorsqu'il vida la corbeille à papiers, fixa au mur l'étagère, et répara les stores.

Ce fut Natalie qui la réveilla. Elle entra en trombe, étreignant dans ses bras un grand sac en plastique, et traversa l'appartement en passant la tête dans chaque pièce et criant :

— Paa-pa !

Daniel émergea de ses toilettes fraîchement décapées.

— Surprise, surprise ! s'exclama-t-il. Et Christopher est-il avec toi ?

— Il arrive avec maman.

Miranda et Christopher apparurent tous deux dans l'encadrement de la porte. Christopher semblait de nouveau lui-même, enfin. Il avait l''air presque joyeux. Mais Miranda avait les yeux rougis, et son visage était encore pâle.

Daniel et Miranda se regardèrent nerveusement.

— Bonsoir, Dan.

— Tiens, bonsoir, Miranda. (Il cherchait ses mots.) C'est gentil à toi de les avoir amenés, étant donné...

— Eh bien, fit-elle embarrassée. *C'est* mardi. (Il trouva qu'elle paraissait encore très bouleversée.) Et ils ont insisté.

— Néanmoins, fit Daniel. Étant donné les circonstances...

Ils rougirent tous les deux.

— S'il te plaît, la pria Daniel. Reste pour prendre une petite tasse de thé. Tu es si blanche. J'aime mieux ne pas te voir repartir tout de suite.

— Eh bien... (Elle hésitait.) Je ne sais pas...

— Oui, ordonna Christopher. On dirait que tu es passée dans une essoreuse. Reste prendre une bonne tasse de thé, avec papa.

— Oh je...

— Parfait ! dit Daniel. Magnifique. Entre.

Comme ils se dirigeaient vers la cuisine, Daniel agita les bras en tous sens, derrière le dos de Miranda, pour faire signe à Christopher d'éloigner Natalie, et de ne pas laisser entrer Lydia, et de les laisser seuls tous les deux. Christopher se composa une expression la plus hautaine possible, signifiant qu'il coopérait mais qu'il se sentait très vexé, insulté par la pantomime frénétique de son père. Il comptait bien, depuis le début, laisser ses parents seuls ensemble.

Miranda tenta de dissimuler le malaise qui l'envahissait en complimentant Daniel sur ses efforts de propreté.

— Tout ce que tu as fait ! Ça a bien meilleure allure, maintenant. Je suis désolée si j'ai été un peu brusque, en te parlant de ton appartement, mais il était devenu dans un tel *état*.

— Tu avais tout à fait raison, l'assura Daniel. C'était dégoûtant.

Miranda effleura du regard les cisailles qui étaient toujours posées, grandes ouvertes, sur le tabouret.

— Je peux ? demanda-t-elle poliment.

Elle les ramassa, les referma, et les posa dans un coin, la pointe prudemment tournée vers le bas.

— Je t'en prie, la rassura Daniel. Vas-y, je crois que j'ai besoin de toute l'aide possible.

Miranda soupira.

— Peut-être en avons-nous tous les deux besoin. Elle lui tendit la boîte à thé, et resta debout près de lui, pendant qu'il chauffait la théière. Ce qui ne veut absolument pas dire que je souhaite le retour de Mlle Doubtfire !

— Elle est morte, l'informa Daniel.

Il regarda par la fenêtre. Les poubelles avaient été vidées.

— Partie pour toujours.

— Eh bien, je n'en suis pas fâchée.

— Moi non plus. (Il baissa la tête et versa l'eau bouillante sur le thé.) Je suis désolé, que nous t'ayons tous trompée. C'était très méchant de notre part.

— Peut-être aurais-je dû me montrer un peu plus raisonnable. (Sa main fit un geste vague.) Mais vraiment, tu vois, je n'aimais pas les savoir ici. Dans ce...

Sa voix se perdit dans le silence. Ses yeux naviguèrent des cisailles, à présent inoffensives, au fil électrique dénudé.

— Je comprends, dit Daniel. C'était dégoûtant, et certains endroits étaient même dangereux. Mais maintenant que je commence à m'organiser, beaucoup de choses vont changer ici. Et si tu vois quoi que ce soit qui te rende nerveuse, fais-le-moi savoir, et je l'arrangerai comme je peux.

— Merci, dit-elle. Merci.

Il lui tendit une tasse de thé. Elle en but une gorgée.

— Il est bon, dit-elle, mais pas aussi bon que le thé de Mlle Doubtfire.

— Toi, tu peux te permettre, dit Daniel un peu durement, d'acheter du meilleur thé que moi.

Miranda eut de nouveau l'air embarrassé.

— Écoute, Daniel, dit-elle. Je vais être tout à fait franche avec toi. Je ne veux pas que tu redeviennes ma femme de ménage, même sans déguisement. Je sais que tu faisais du bon travail. Mais je ne veux pas de cela. Je ne peux pas l'expliquer.

C'est ce que je ressens, simplement. Mais peut-être pouvons-nous trouver une sorte de compromis. Cela te dirait-il de gagner un peu d'argent en travaillant pour moi comme jardinier ? S'il pleut, tu pourrais rentrer dans la maison, faire du café, et t'occuper des plantes d'intérieur. Et si tu travailles en fin d'après-midi, tu verras également les enfants.

Elle fit une pause, et devint toute rouge.

— Après tout, lui dit-elle. Tu es leur père.

Daniel n'hésita pas une seule seconde.

— Formidable ! dit-il, ravi. Mais alors il faudra que je creuse une tranchée plus profonde pour mes pommes de terre, au cas où elles auraient à subir une attaque en règle, de la maison. (Il plongea les mains dans ses poches.) Tiens, accepte ce modeste témoignage de ma bonne foi, et de ma gratitude.

Et il lui mit dans la main une douzaine de chaussettes dépareillées.

— Oh, Daniel !

Elle était tout à fait émue, en entassant les chaussettes au fond de son sac à main. Daniel lui-même, se sentait près de pleurer.

— *Et* je ne téléphonerai plus aux heures des repas.

— Et je ne m'énerverai plus, en entendant parler de toi.

Ils se sourirent.

— Serrons-nous la main, dit-il.

Et ils se serrèrent la main.

— Je ne reviendrai pas les chercher, lui dit-elle, à moins qu'ils n'aient particulièrement envie de rentrer. Ils peuvent dormir ici, si cela te convient, parce que la grève continue, demain, et j'aurai de toute façon besoin de ton aide. Je dois partir pour Matlock demain matin à la première heure.

— Je les aurai ramenés pour ton retour.

— Merci, Daniel.

Elle se pencha et déposa un baiser sur sa joue.

— Merci, Daniel, dit-elle encore. Et elle sortit précipitamment.

Daniel était toujours en train de choyer son baiser avec la paume de sa main, lorsque Christopher fit son apparition.

— Bien, dit Christopher, en se frottant les mains avec satisfaction. Ça s'est bien passé.

— Tu nous *écoutais* ?

— Juste un peu. Pas beaucoup.

— Tu as un sacré culot, dit Daniel. Ce ne sont absolument pas tes affaires.

— Pas mes affaires ? (Christopher était outré.) Qui l'a fait venir ici, à ton avis ? Qui a insisté pendant des heures, en refusant de faire autre chose, ou d'abandonner le sujet, et a répété un million de fois que c'était mardi, et que nous voulions venir ici ? Natty et moi ! Voilà qui !

— Je t'en suis très reconnaissant, dit Daniel. Cela s'est bien passé.

— J'en étais sûr.

— Oh, *toi*, fit Daniel d'un air condescendant. Tu es un *enfant*. Et il est bien connu que les enfants ont en eux une capacité presque illimitée à être optimiste, et à pardonner.

— C'est une chance, pour vous deux ! railla Christopher.

— C'est plus que vrai, approuva Daniel.

Lui, au moins, était sincèrement reconnaissant.

Dans le salon, Natalie l'attendait. Elle faisait des bonds d'excitation sur le canapé, tout en serrant contre elle son précieux sac en plastique.

— Qu'est-ce qu'il peut bien y avoir là-dedans ? demanda Daniel.

D'un air fier, très fier, elle exhiba la plus précieuse de ses possessions. C'était son livre d'images — *La Rivière à travers le miroir*.

— Je vais le garder ici, maintenant, annonça-t-elle gravement. Dans cette maison.

— Tu as choisi le bon jour, pour prendre cette décision, Natalie, l'informa Daniel tout aussi gravement. Je viens juste de remettre l'étagère, cet après-midi.

Il s'assit sur le canapé, entre Lydia et Natalie.

— Vous pouvez dormir ici, dit-il. Vous voulez ?

— Oui ! s'empressa de dire Christopher. Tu parles !

Lydia réfléchit un instant.

— Je *crois* que je vais rester, dit-elle en remontant la couverture sous son menton. Oui, je crois. Mais dis-lui que je serai contente de revenir à la maison si elle change d'avis.

— Je reste, dit Natalie. Si Lydia reste.

— Très bien, alors, dit Daniel en prenant le livre.

Natalie grimpa sur ses genoux, et Christopher prit sa place. Il jouait avec sa calculatrice, en faisant mine de ne pas écouter. Sans la moindre honte, Lydia se pelotonna davantage sous sa couverture, pour écouter la chère vieille histoire.

Daniel commença à lire :

— *Des centaines de gens ont cherché la Rivière à travers le miroir. Ses eaux sont...*

Le téléphone se mit à sonner dans le hall. Les enfants se raidirent.

— J'y vais ! cria Daniel, en sautant sur ses pieds.

Il bondit hors de la pièce en faisant claquer la porte derrière lui. Il décrocha. Oui, c'était Miranda.

— Oui, dit-il prudemment. Tu veux qu'ils rentrent ?

— Oh, non ! Cette idée ne semblait pas l'avoir effleurée. Oh, Daniel, je viens juste d'arriver et...

La voix de Daniel se radoucit.

— Quoi ? Dis-moi, Miranda. Que se passe-t-il ?

— C'est Hetty. Quand je suis entrée, elle était couchée dans sa cage... Et ses pattes sont — elle abrégea : eh bien, elle est *morte*.

— Je suis désolé, dit Daniel. Cela t'a fait un choc ?

— Non, dit Miranda. Mais cela *m'ennuie*.

Daniel pouvait l'entendre soupirer.

— Daniel ? Voudrais-tu me faire une faveur ? S'il te plaît ? Voudrais-tu le leur dire ? Enfin, tu me connais. Elle soupira de nouveau. Je ne sais pas leur dire ce genre de chose. Toutes leurs larmes et leurs histoires d'ornements de tombe... Je n'ai pas la patience. Je veux dire, après tout, une caille n'est qu'une caille. Et elle était très âgée.

Daniel leva les yeux au ciel, et sourit.

— Ma chère vieille Miranda ! dit-il, se rappelant soudain avec une intensité frappante, pourquoi il lui avait tout d'abord demandé de l'épouser, des années auparavant. C'est bien ma Miranda.

— Pardon ?

— Rien. Je veux dire, que tu as parfaitement raison. Une caille n'est qu'une caille.

— Mais pas pour Christopher.

— Non, pas pour lui.

— Alors, tu veux bien lui dire ? S'il te plaît ? Tu es tellement plus doué que moi pour ce genre de chose.

— Je le lui dirai, répondit Daniel. Je le lui dirai demain.

— Je crois aussi que c'est mieux d'attendre demain. Nous en avons tous eu bien assez pour aujourd'hui.

— Je n'oublierai pas. (Il changea de position.) Écoute maintenant, Miranda. Tu as une longue route devant toi, demain. Tu n'as qu'à recouvrir la cage avec une vieille serviette, aller la mettre au sous-sol, et l'oublier. Et je m'en occuperai demain.

— D'accord. Il y eut un silence, puis : Est-ce qu'ils restent ?

— Oui, lui dit Daniel. Lydia ne savait pas trop quoi faire. Je crois qu'elle aurait préféré être avec toi, ce soir...

– Oh !

Elle semblait contente, et légèrement soulagée.

– Mais elle est un peu lessivée, alors elle s'est finalement dit qu'elle allait rester, à moins que tu ne changes d'avis, et que tu ne préfères qu'elle rentre.

– Non, je ne veux pas changer d'avis. J'ai pensé que je boirais juste un petit verre avec Sam, et que je me coucherais de très bonne heure.

– C'est parfait, alors, dit Daniel. Tu n'auras pas besoin qu'on vienne te border.

– Et toi, tu ne seras pas seul, après le décès de ton amie, Mlle Doubtfire.

Ils raccrochèrent en riant.

Les enfants le virent revenir, le sourire aux lèvres.

– Alors qui était-ce ?

– Votre mère.

– Vraiment ? Qu'est-ce qu'elle voulait ?

– Juste bavarder, dit Daniel. Rien d'urgent. Où en étions-nous de ton histoire, Natty ?

Elle le fit reprendre au début. Il ouvrit le livre à la première page. Elle était traversée par la rivière, aux reflets verts et bleus. Les saules se penchaient, grâcieux, au-dessus de leur propre image. Les petites maisons sur la rive se déta-chaient avec leurs couleurs vives et gaies. Très haut dans le ciel clair, les hirondelles tournoyaient.

— *Des centaines de gens ont cherché la Rivière à travers le miroir,* lut Daniel. *Ses eaux sont calmes et silencieuses comme le verre. Quiconque boit de ses eaux se sent apaisé. Jamais il n'y a de querelles, dans les familles qui vivent au bord de la Rivière à travers le miroir...*

Il n'avait pas besoin de lire pour continuer. Il connaissait par cœur toute l'histoire. Il leva les yeux un instant, et vit ses deux aînés échanger un sourire.

Et sa petite dernière pressa sa main.

4019